Le Garçon qui courait plus vite que ses rêves

ELIZABETH LAIRD

Le Garçon qui courait plus vite que ses rêves

Traduit de l'anglais (Royaume-Uni)
par Catherine Guillet

Flammarion

Titre original : *The Fastest Boy in the World*

First published 2014 by Macmillan Children's Books,
a division of Macmillan Publishers Limited, London, UK.

87, quai Panhard-et-Levassor – 75647 Paris Cedex 13
ISBN : 978-2-0813-5946-8

À mon petit-fils, George.

CHAPITRE 1

Dans mes rêves, je cours, encore et toujours. Parfois, mes pieds se détachent du sol et je suis sûr que si je pouvais aller un peu plus vite, je décollerais et m'envolerais comme un aigle. À d'autres moments, mes jambes me semblent aussi lourdes que des troncs d'arbres, mais je sais que je dois continuer et atteindre la ligne d'arrivée coûte que coûte.

Je cours depuis que je sais marcher. Dès lors, de mon pas titubant de bébé, je n'eus de cesse que de courir après mon père aussi vite que je le pouvais chaque fois qu'il montait sur notre ânesse pour aller au marché.

— Solomon, reviens ! hurlait ma mère.

Comme je ne l'écoutais pas, elle s'élançait après moi pour me rattraper et me ramenait à la maison dans ses bras en riant.

C'est ainsi que mon enfance a commencé. Et je me souviens, très distinctement, du soir où tout a changé.

J'avais onze ans. Enfin, je crois. Dans les régions reculées d'Éthiopie, on s'intéresse peu à votre âge.

C'était en fin de journée et la porte de notre maison était bien fermée. Chaque soir, je tremblais à l'idée de la nuit au-dehors. Parce que je savais qu'il faisait noir et froid, et parce que j'avais peur qu'il ne rôde dans l'obscurité quelque hyène ou, pire encore, une présence... démoniaque.

Mais que je vous explique d'abord à quoi notre maison ressemblait, pour le cas où vous ne seriez jamais venus en Éthiopie. Elle était ronde, comme la plupart des habitations dans nos fraîches contrées de hauts plateaux, et son toit de chaume formait un cône. Elle se composait d'une pièce unique, au centre de laquelle un feu brûlait à toute heure. Ce dernier nous enfumait un peu, mais il nous gardait au chaud et nous éclairait de sa lumière. Il y avait aussi un paravent, derrière lequel nous placions nos bêtes, la nuit seulement. Car bien sûr, pendant la journée, elles étaient à l'extérieur à pâturer.

Bref, ce soir-là, Ma remuait le ragoût qui cuisait sur le feu. L'odeur était si délicieuse qu'elle m'avait donné faim.

— Ma, j'ai quel âge ? demandai-je soudain.

Je ne sais pas ce qui m'était passé par la tête.

— Laisse-moi réfléchir... répondit ma mère d'un air distrait tout en ajoutant une pincée de piment rouge dans la marmite.

Je compris qu'elle ne m'avait pas vraiment écouté.

Mais Abba (c'est le surnom que nous donnions à mon père) avait entendu ma question. Il venait de rentrer de sa journée passée à s'occuper de notre ferme. Il s'assit sur un petit tabouret près du foyer et je compris à son regard vers le ragoût qu'il était aussi affamé que moi.

— Tu es né l'année où notre récolte s'est révélée si mauvaise qu'on a été obligés d'emprunter tout cet argent à ton oncle, dit-il.

Ma lui jeta un regard plein de reproche.

Abba prit un air contrit.

— Je me trompe, reprit-il calmement. C'est Hailu qui est né cette année-là.

Hailu, mon frère aîné, était mort quand j'étais petit. Ma soupirait toujours quand on parlait de lui.

Abba la regarda d'un œil compatissant, puis se gratta la tête.

— Non, ça me revient, reprit-il. Tu es né l'année où un magicien a transformé mon bâton en baguette dorée.

J'adorais quand Abba se montrait d'humeur badine. Ma petite sœur, Konjit, ramassait les bouts de brindilles qui n'avaient pas brûlé et les remettait dans les flammes tout en tortillant une mèche de cheveux qui pendait sur son front. Quel que soit le geste, elle semblait ne jamais utiliser plus d'une main pour le faire. L'autre était en permanence occupée avec ses cheveux.

Cette fois cependant, elle les lâcha tout net.

— Oh ! s'exclama-t-elle au bout d'une minute au moins, ses grands yeux marron aussi ronds que les boutons de la veste en coton de Grand-Père. Une baguette dorée ? Où est-elle ?

Je la poussai du coude, juste pour montrer que je la trouvais naïve, mais je dus la redresser pour éviter qu'elle ne bascule dans le feu.

— Elle est redevenue bâton, lui dit Abba en me glissant un regard entendu. Mais ce n'était pas cette année-là. Solomon est né exactement au moment où Corne Vrillée a eu ses jumeaux, sauf qu'elle n'a pas donné naissance à des veaux, mais à deux poussins. Si tu avais vu ça ! Ils voletaient partout.

Tout le monde éclata de rire et même Grand-Père, qui était installé sur le banc d'argile longeant le mur circulaire de la maison, émit une sorte de sifflement rauque qui signifiait son amusement. Konjit, elle, ne sourit même pas. Elle avait l'air tout à fait déstabilisée.

— Abba, les vaches ne peuvent pas avoir de poussins, dit-elle avec grand sérieux. Tout le monde sait ça.

Elle tombait dans le piège chaque fois.

À cet instant précis, un ébrouement s'éleva derrière le paravent en bâtons de bois. Je savais que c'était Corne Vrillée et pas Longue Queue ou Gros Sabot. Je reconnaissais les sons de chacun de nos animaux. Je pouvais distinguer notre ânesse (elle s'appelait Lotie) de toutes celles que j'entendais au marché à sa façon de braire. Évidemment, j'identifiais aussi nos trois chiens qui, eux, n'entraient pas dans la maison. Leur rôle était de rester dehors à surveiller notre ferme. Ils étaient assez autonomes.

— Tu as tout à fait raison, ma chérie. Les vaches n'ont que des veaux, reprit Abba en tirant Konjit à lui pour qu'elle puisse s'appuyer contre son bras.

Je compris qu'il avait fini de plaisanter. Le soir venu, Abba était éreinté. Il passait ses journées à travailler.

— Le dîner est prêt, annonça enfin Ma.

Elle posa sur le grand plateau en émail une énorme galette. (Nous appelons ces sortes de crêpes des *injéras* ; elles sont moelleuses, fines et délicieuses.) Puis elle servit à chacun de nous une louche de ragoût.

Grand-Père se leva du banc et nous rejoignit près du feu. Je l'observai, dans l'expectative.

« Cinq », décidai-je.

J'avais parié sur le nombre de pas qu'il ferait avant que ses genoux ne craquent comme des brindilles. Je gagnai mon pari.

(J'aimais bien m'amuser ainsi, à deviner des chiffres, je veux dire. C'était un jeu que je jouais avec moi-même, et avec mon ami Marcos quand il en avait envie.)

Grand-Père s'assit sur un petit tabouret qu'Abba avait approché pour lui.

— Solomon a onze ans, dit-il.

J'avais oublié que j'avais posé cette question. Je faisais passer le bol et la petite cruche pour que tout le monde puisse se laver les mains, et j'avais désormais bien trop faim pour penser à quoi que ce soit d'autre qu'à la nourriture.

Personne ne parla beaucoup pendant le repas, mais quand nous fûmes tous rassasiés, Grand-Père répéta, d'un ton plus pensif cette fois :

— Solomon a onze ans.

Je croyais qu'il se parlait à lui-même, mais je me trompais. Il se redressa sur son tabouret pour se mettre bien droit, écarta un bout de son épais châle blanc comme s'il avait trop chaud et reprit :

— Onze ans, c'est assez vieux. On ira demain.

Mes parents se figèrent. Ma, la main à mi-chemin entre son bol et ses lèvres. Abba, alors qu'il tirait une pique de la poche intérieure de son vêtement.

— Où ça ? balbutia Konjit, qui osait à peine s'exprimer en présence de Grand-Père.

J'étais certain qu'elle mourait d'envie d'ajouter : « Je ne sais pas où vous irez, mais est-ce que je peux venir aussi ? » Or une telle demande aurait été considérée comme irrespectueuse.

De mon côté, j'étais heureux qu'elle ait posé sa première question, car ma curiosité était aussi grande que la sienne.

— À Addis Abeba, répondit Grand-Père aussi négligemment que s'il avait mentionné Kidame, la ville la plus proche de chez nous, où j'allais à l'école et où Abba se rendait au marché le jeudi. J'ai quelqu'un à y voir. Solomon peut m'accompagner. Il est temps qu'il découvre un peu le monde, et puis je pourrais avoir besoin de lui.

Mon cœur se mit à battre la chamade et mes joues s'empourprèrent. Addis Abeba ! La capitale de notre pays ! Le frère de Marcos y était allé une fois. En rentrant, il avait raconté les histoires les plus incroyables : qu'il y avait vu d'immenses immeubles aux murs de verre, des rues encombrées de voitures, des habitants tous élégamment habillés et des escaliers qui roulaient. Je n'étais jamais allé plus loin que

Kidame. Cette ville a sans doute de bons côtés, mais elle est petite. Sa rue principale se couvre de boue durant la saison des pluies. L'autobus y passe une fois par jour et, parfois, des voitures la traversent.

Mon école se situait à une huitaine de kilomètres de chez nous. Je m'y rendais chaque matin en courant, car notre instituteur enrageait quand nous arrivions en retard. Et l'après-midi, je faisais le chemin en sens inverse, toujours au pas de course bien entendu. Il ne m'arrivait que rarement de finir en marchant.

Nous n'étions pas totalement sous-développés à Kidame. Il y avait dans la rue principale un magasin, ouvert toute la semaine, et très bien achalandé. Le jeudi, il y avait le marché, où l'on trouvait presque tout ce qu'on voulait. En outre, la ville était alimentée en électricité. Et le bar possédait une télévision. De temps en temps, cachés à la fenêtre, Marcos et moi parvenions à la regarder pendant cinq ou dix minutes avant que le patron ne vienne nous chasser.

Marcos, lui, avait le courant dans sa maison. Le soir, contrairement à moi, il faisait ses devoirs à la lueur d'un appareil d'éclairage. Quelle chance ! Pour ma part, j'étais obligé de m'approcher avec mes livres au plus près du feu. Je ne réussissais jamais à y voir très distinctement, sans compter que les pages se salissaient. Et quand je m'approchais trop, il leur arrivait de roussir. Qui plus est, la maison de Marcos se trouvait près de la pompe, où l'eau coulait toujours. Ma mère, elle, était obligée chaque matin d'aller remplir une énorme jarre à la rivière qui coulait au bas de la colline. Konjit la suivait en courant, chargée de sa propre petite cruche.

Mais revenons à notre histoire.

Bouche bée, Ma fixait toujours Grand-Père.

— Combien... combien de temps... ? murmura-t-elle en le regardant d'un air implorant.

— Il faut une journée de marche pour y aller, répondit Grand-Père. Si on part demain matin au lever du soleil, on arrivera là-bas à la tombée du jour. Tu te souviens de Wondu, mon neveu ? On passera deux nuits chez lui. Il habite près de Piazza. On prendra le bus pour Kidame le surlendemain. S'il te plaît, ne fais pas d'histoires. Tout se passera bien pour Solomon et c'est les vacances en ce moment, donc il ne manquera aucun cours.

J'adorais le ton assuré et détaché avec lequel Grand-Père avait parlé de « Piazza », que je ne connaissais absolument pas, et de la façon dont nous rentrerions, en prenant l'autobus. Un autobus ! Ce serait mon premier voyage motorisé.

Abba avait l'air inquiet.

— Ça fait des années que tu n'es pas allé à Addis Abeba, Père, déclara-t-il. Comment trouveras-tu ton chemin ? J'ai entendu dire que tout y avait beaucoup changé. Et puis marcher jusque-là...

— C'est pourquoi j'ai besoin de Solomon, l'interrompit Grand-Père sèchement. Je ne suis pas encore impotent. On ne parle que de trente-sept kilomètres. J'ai couvert des distances bien supérieures en une journée quand j'étais jeune. Mais je préférerais avoir de la compagnie et celle de Solomon fera très bien l'affaire.

J'ai oublié comment se déroula le reste de la soirée. Je sais que Ma vérifia avec fébrilité si ma chemise était propre (en dehors de celle que je devais porter à l'école, je n'en avais qu'une). Ensuite elle s'inquiéta de ce que nous mangerions en chemin. Grand-Père ne prêta aucune attention à son affairement. Il semblait très satisfait. Il se leva, repartit s'allonger sur le banc d'argile et plia son châle sur lui comme une couverture. Une minute plus tard, il dormait.

Abba me fit signe de venir m'asseoir à ses côtés.

— Solomon, je ne m'attendais pas à cette nouvelle, m'avoua-t-il calmement, les yeux tournés vers le feu rougeoyant qui mourait doucement. J'avais prévu de t'emmener moi-même à Addis Abeba un jour prochain. Tu vas devoir être prudent. Ton grand-père est un vieil homme et Addis Abeba, une très grande ville.

Je ne suis pas sûr qu'il s'y reconnaîtra. Ne le presse pas et ne l'agace pas. Et laisse-le prendre appui sur toi quand il sera fatigué.

Il sortit de la poche de sa tunique une mince liasse de birrs[1] froissés. Il en tira quelques billets qu'il me tendit.

— En cas d'urgence, me dit-il. Si ton grand-père ne retrouve pas son neveu ou si vous rencontrez un problème, ça t'aidera un peu. Mais uniquement si tu en as vraiment besoin, d'accord ? Je sais que je peux te faire confiance et que tu ne le perdras pas.

Je n'avais jamais tenu autant d'argent entre mes doigts et je pris peur.

— Il y a des voleurs à Addis, continua Abba d'un air grave.

Il adressa un signe de tête à Ma, qui se leva pour aller chercher une petite bourse sur une étagère au-dessus des jarres de grains. Abba y plaça l'argent et me montra comment l'attacher à mon cou et le cacher sous ma chemise.

— Bien. Maintenant, il est protégé, déclara Ma.

Elle avait le front plissé d'appréhension. Je savais qu'elle s'inquiétait plus pour moi que pour l'argent, ce qui m'angoissa encore davantage.

1. Monnaie de l'Éthiopie, aussi appelée le « dollar éthiopien ». (N.d.T.)

Lorsque nous nous couchâmes, le feu ne donnait plus que quelques flammes. Je regardai les ombres aux formes floues qui dansaient entre les poutres. J'étais trop excité pour dormir.

Comment réagirait Marcos quand je lui apprendrais que j'étais allé à Addis ? Il serait vert de jalousie. C'est alors que mon estomac se noua.

Et si je perdais Grand-Père de vue dans les rues animées, au milieu de la foule ? Et si des voleurs m'agressaient et me dérobaient mon argent ?

« Je ferai très, très attention, me promis-je. Et je veillerai de près sur Grand-Père. »

Là-dessus, je m'endormis.

CHAPITRE 2

Le coq me réveilla. Il se postait chaque matin sur le toit de notre maison pour donner de la voix. En général, je continuais à dormir et Ma devait me secouer pour que je me lève, mais ce jour-là, elle n'eut pas besoin de le faire. Contrairement aux autres matins, il faisait sombre et aucune lumière ne filtrait par les fentes entre les baguettes de bois. J'en conclus qu'il était très tôt.

Ma était déjà debout. Penchée au-dessus de l'âtre, elle soufflait doucement sur les flammes pour les raviver et la bouilloire posée sur les pierres sifflait.

— Ma, est-ce que j'ai rêvé ? lui demandai-je. Est-ce que je vais vraiment à Addis aujourd'hui ?

— Oui, me répondit-elle d'un air sombre. Fais en sorte d'en revenir sain et sauf.

Grand-Père s'était également levé. Il émit son grognement habituel, se signa et murmura une prière.

— Worknesh, où est mon petit-déjeuner ? demanda-t-il alors à Ma. Dépêche-toi, je n'ai pas de temps à perdre.

Ma était prête. Elle versa un filet de liquide doré de la bouilloire noircie par la fumée dans un verre qu'elle lui tendit. Pendant que Grand-Père buvait à petites gorgées sonores, Ma me servit aussi.

— Tiens-toi bien quand tu seras là-bas, me recommanda-t-elle. Je ne veux pas que ces gens bien élevés de la ville pensent que tu as grandi sans éducation. Sois respectueux. Ne parle que si on t'adresse la parole et ne mange pas trop vite.

— Femme, ça suffit, la coupa Grand-Père. Laisse-le tranquille.

Nous partîmes peu après. Abba, Ma et Konjit, qui s'était glissée entre eux deux, nous regardèrent nous éloigner depuis le seuil de la maison.

Courir seul le long de chemins familiers que l'on pourrait suivre les yeux bandés est une chose ; marcher au même rythme qu'un compagnon de voyage, surtout quand celui-ci est âgé, en est une autre.

Je connaissais chaque millimètre du trajet jusqu'à Kidame. Pour moins ressentir le nombre de kilomètres que je devais couvrir chaque jour, j'avais inventé des jeux de calcul. Je pariais sur le nombre de foulées que je ferais pour atteindre l'arbre au coin du chemin ; je comptais les petits oiseaux bruns perchés sous l'avant-toit de l'église (il y en avait en général quatre ou cinq) ; je n'oubliais jamais de toucher la grosse pierre au bas de la colline pour empêcher le diable de s'approcher ; et j'effectuais tout à la vitesse de la lumière.

À ce sujet, j'en profite pour vous révéler à quel point c'était important pour moi. Devenir coureur, je veux dire, pas courir entre mon école et chez moi. Je rêvais de participer à de grandes courses dans d'autres pays, de couronner l'Éthiopie de gloire et de prouver à chaque habitant de Kidame que j'étais un héros. Je voulais devenir le coureur le plus rapide au monde.

Chez nous, même les jeunes qui vivent dans les régions reculées connaissent nos grands athlètes nationaux. Ce sont les meilleurs. Championnats du monde, marathons, Jeux olympiques... Où qu'ils aillent, ils remportent des médailles.

J'avais conscience du fait qu'il fallait réellement sortir du lot pour devenir un champion. Qu'il fallait s'entraîner encore et encore, courir encore et encore. Qu'il fallait commencer très jeune.

Courir, cela je le faisais, encore et toujours et, comme je le mentionnais plus tôt, depuis que je savais marcher. En revanche, personne ne m'avait appris à m'entraîner.

Il existe une école de sport dans une ville du nom de Bekoji. Elle n'est qu'à une demi-journée d'autobus de Kidame. Beaucoup d'enfants s'y inscrivent pour apprendre à courir. Je mourais d'envie d'y aller.

Je n'avais jamais osé le dire à Abba. J'étais certain qu'il s'y opposerait, car il avait besoin de moi à la ferme. Mais il ne pouvait m'empêcher de rêver. Personne ne peut nous empêcher de le faire.

Bref, penser à courir était inutile tant que je marchais avec Grand-Père. Il avançait si lentement que mon impatience grandit vite. Il me tardait tant de dépasser Kidame pour découvrir les lieux inconnus longés par la route qui menait à Addis Abeba.

Après quelques kilomètres, je ne résistai pas à l'envie d'effectuer des petits sprints, au bout desquels je m'arrêtais pour attendre Grand-Père. Il finit par se fâcher.

— Pour l'amour du ciel, Solomon ! s'exclama-t-il. Tu t'agites comme si une mouche t'avait piqué. Calme-toi un peu. Et tâche de garder le même rythme, lent et régulier, sinon tu seras épuisé avant d'être arrivé à la moitié du chemin.

Il avait sans doute raison, sauf qu'il nous fallut une éternité pour atteindre Kidame et qu'une fois là, Grand-Père ne se hâta pas davantage. Tout le long de la rue principale, il prit le temps de saluer les hommes de son âge qu'il rencontrait et de leur annoncer qu'il était en route pour la capitale. Puisque je ne pouvais rien y changer, je décidai finalement de me vanter un peu moi-même, si bien que, lorsque nous fûmes à l'autre extrémité de la ville, quatre ou cinq garçons de mon école me suivaient toujours pour me souhaiter un bon voyage et me criaient des plaisanteries telles que : « Rapporte-moi une télévision ! N'oublie pas de regarder un match de foot ! Prends un avion pour l'Amérique pendant que tu y es, pourquoi pas ? »

Alors que nous quittions Kidame, Marcos nous rattrapa en courant.

— Solomon, je viens d'apprendre une nouvelle ! Ils reviennent au pays ! Ils atterrissent à Addis demain ! Tu vas peut-être les voir ! Oh, que j'aimerais venir avec toi !

Je crois, du moins, que c'est ce qu'il me dit, car il était si exalté et parlait si vite que je n'entendis que « ... prendre... viennent... pays... Add... dem... voir... j'aimerais ! ».

Je le regardai fixement et répondis :

— Prends le temps de prononcer, idiot, je n'ai rien compris.

Il se répéta et, cette fois, ses phrases prirent tout leur sens.

— Tu parles des athlètes ? Les coureurs à pied ? De l'équipe olympique ?

— Oui !

Mon cœur s'emballa. Nos héros nationaux ! Haile Gebreselassie ! Derartu Tulu ! J'allais peut-être les rencontrer ! En personne !

J'avais toujours imaginé que le paysage au-delà des collines qui bordaient l'autre côté de Kidame était différent et fascinant. Pas du tout. Il se révéla exactement pareil à chez nous. Des petites fermes parsemaient les champs, les arbres étaient rares et des églises circulaires au toit de tôle surmonté d'une croix se dressaient de loin en loin.

Lorsque le soleil atteignit le zénith, nous avions dû parcourir une quinzaine de kilomètres et il faisait très chaud. Je commençai à souffrir des jambes.

« Grand-Père avait raison de me dire d'aller moins vite et d'être plus régulier dans mon allure », me dis-je.

Au moment où je pensais arriver au bout de mes forces, Grand-Père annonça :

— On va s'arrêter manger quelque chose et se reposer un peu dans la prochaine ville.

Je ne m'attarderai pas sur le restant du périple. Excepté pour préciser qu'il m'apparut d'une longueur interminable. Il est vrai qu'on ne parcourt pas trente-cinq kilomètres comme on fait un petit tour. Après des heures et des heures, le chemin de terre céda la place à une surface lisse et noire que Grand-Père appela du « goudron ». La circulation s'intensifia. Des camions nous rattrapèrent dans un grondement de tonnerre et un ou deux autobus nous dépassèrent pesamment en crachant à l'arrière des bouffées d'une fumée noire étouffante.

Chaque fois que nous passions devant des maisons, je disais :

— On y est, Grand-Père ? Est-ce qu'on est à Addis Abeba ?

Invariablement, il me répondait :

— Ce village de rien du tout ? Évidemment que non, étourneau. Addis est bien plus grand que ça.

Lorsque nous arrivâmes enfin à la capitale, je n'éprouvai aucun besoin de répéter ma question. Nous marchions soudain au milieu de grands immeubles aux baies vitrées qui flamboyaient sous le soleil couchant. Il y avait du monde partout, qui se pressait sur le sol irrégulièrement pavé flanquant la chaussée goudronnée. Il y avait des rangées de magasins, indiqués par des enseignes, dont certains exhibaient dans leurs vitrines des morceaux de viande suspendus à des crochets et d'autres, de hauts étalages de fruits en devanture.

À Kidame, tout le monde connaît plus ou moins tout le monde, mais à Addis, les gens ne s'arrêtaient pas pour se saluer. Ils se croisaient d'un pas rapide sans se regarder.

Absorbé par ces scènes de rue, je n'avais pas noté que nous avions ralenti. Un peu plus tôt, Grand-Père avait posé la main sur mon épaule et je me rendis soudain compte qu'il s'appuyait de plus en plus sur moi.

Je levai la tête vers lui et remarquai avec horreur que son teint était devenu grisâtre. Il avait les lèvres hermétiquement fermées.

— Grand-Père, tu vas bien ? lui demandai-je.

— Bien sûr que oui, petit effronté, grommela-t-il.

Je n'avais aucune intention de me montrer impertinent et nous le savions tous les deux. J'étais moi-même épuisé, et désormais, je m'inquiétais aussi pour mon grand-père. Que ferais-je s'il ne pouvait plus marcher ?

Je n'eus pas le loisir de réfléchir à la question car un gros camion apparut, lancé à fond de train sur la route dans notre direction. Le rugissement de son moteur engloutit tous les autres bruits de circulation, si bien que je n'entendis l'autre poids lourd qui approchait derrière nous que lorsqu'il donna un coup de klaxon assourdissant. Je me tournai vivement pour découvrir qu'il roulait à moitié sur le bas-côté et que, de ce fait, il fonçait droit sur nous. Grand-Père était au beau milieu de sa trajectoire.

— Grand-Père, attention ! hurlai-je.

Comme il ne m'avait visiblement pas entendu, je le saisis par le bras et le tirai violemment vers moi. Il s'effondra à mes pieds, tandis que le poids lourd passait en trombe en faisant de nouveau hurler son klaxon, ses roues à quelques centimètres à peine des jambes de Grand-Père.

Je m'accroupis près de lui. Je craignais de l'avoir mis dans une rage folle à l'avoir ainsi fait tomber, mais il ne sembla même pas remarquer ma présence. À demi assis, il avait l'air hébété.

— Grand-Père, tu t'es fait mal ? Est-ce qu'il t'a touché ? Est-ce que le camion t'a touché ?

Ses yeux fixes se posèrent sur moi, mais il resta muet.

— Grand-Père ! m'écriai-je, saisi d'effroi.

Il eut un haut-le-corps, puis dit de son habituel ton bougon :

— Non, pas touché. Je n'aime pas beaucoup que tu me bouscules de cette façon.

Je souris, soulagé. Malgré sa mauvaise humeur envers moi, j'étais ravi qu'il se remette à parler.

— Tu peux te lever ?

Je plaçai ma main sous son coude.

— Oui, oui, répondit-il avec irritation. Je n'ai pas besoin de toi.

Un petit groupe de personnes s'était formé autour de nous. Un homme se baissa pour nous aider.

— Quel chauffard ! s'exclama-t-il. C'est une honte. Ces gens-là se croient tout permis. Il aurait pu provoquer un bel accident.

Grand-Père essaya de s'exprimer, sans succès tant il se concentrait pour rester debout. Une femme s'approcha et le prit par le bras.

— Venez, monsieur, lui dit-elle. Vous allez vous asseoir une minute, le temps de récupérer un peu.

Elle l'entraîna vers un petit magasin en retrait de la route. Un jeune homme était assis là sur une chaise en plastique blanc, occupé à jouer avec un chapelet de perles entre ses doigts. La femme lui jeta un regard noir et il se leva. Grand-Père se laissa tomber lourdement à sa place.

— Vous venez de loin ? me demanda la femme. Ce pauvre homme a l'air à bout de forces.

— De Kidame, dis-je aussi doucement que possible par souci de politesse, mais trop doucement sans doute.

— Jamais entendu ce nom-là, répondit la femme. Où allez-vous ?

— Mon grand-père a un ami dans un endroit qui s'appelle Piazza, expliquai-je d'une voix un peu plus assurée.

Je me sentais timide. Je n'avais pas l'habitude de m'adresser à des inconnus. Et puis les personnes qui m'entouraient parlaient si vite et avec un accent si étrange que je peinais à les comprendre. Je me tenais là, figé, inquiet d'avoir l'air stupide et ignorant.

— Piazza ?

Le jeune qui avait cédé la chaise éclata de rire.

— C'est en plein centre-ville. Si tu veux y être avant minuit, vous feriez bien de vous remettre en route, l'gamin.

La femme claqua la langue en signe de désapprobation.

— Yusuf, ne sois pas si dur, lâcha-t-elle. Tu ne vois donc pas que le pauvre homme est épuisé ? Il a marché toute la journée, il a failli se faire écraser et il n'a qu'un enfant pour l'accompagner. Il vaut mieux qu'ils y aillent avec le minibus. Il devrait y en avoir un dans une minute.

Un autobus ! La pensée m'effraya. Comment saurais-je lequel prendre ? Combien coûterait le billet ? Était-ce le type d'urgence qu'Abba avait mentionné ? Et qui me dirait à quel arrêt descendre ?

La femme lut dans mes pensées.

— C'est la première fois que tu viens en ville, n'est-ce pas ? Je sais ce que c'est. Je suis de la campagne, moi aussi. Ne t'inquiète pas, mon chou. Le bus ne coûte que quelques centimes. Et tout le monde descend à Piazza. Tu ne peux pas te tromper. Yusuf vous accompagnera jusqu'à l'arrêt et vous aidera à monter.

Elle se tourna vers le jeune avec un regard farouche.

— Ne fais pas la tête, aboya-t-elle à son intention. Tu es assis sur cette chaise à ne rien faire depuis le début de l'après-midi. Rends-toi utile pour une fois, fainéant.

J'en restai bouche bée. Je n'avais jamais entendu une femme s'adresser à un homme de cette façon. Était-ce la coutume à la ville ?

Je songeai à remercier la femme tout en lui disant que mon grand-père allait mieux et que nous marcherions. Toutefois, lorsque je me tournai vers lui, je compris qu'il ne se sentait pas bien du tout.

— Grand-Père, qu'est-ce que tu en penses ? lui murmurai-je. Elle affirme qu'on devrait prendre un bus.

Il s'humecta les lèvres et hocha la tête.

— Bus, répondit-il d'une voix rauque.

La femme avait disparu à l'intérieur du magasin. Elle en ressortit un verre à la main.

— Buvez un peu, monsieur, dit-elle. Ça vous fera du bien.

Elle avait raison. Grand-Père avala son eau d'un trait et eut de suite l'air revigoré. Il se mit debout, s'appuya sur son bâton (avec tant de force que ses phalanges en blanchirent), fit une petite courbette et se lança dans un discours de remerciement.

La femme le coupa aussitôt.

— Pas besoin de merci. Nous sommes tous les enfants de Dieu. Partez vite avec Yusuf. Il vous conduira à l'arrêt de bus et vous aidera à monter. Prends soin de ton grand-père, jeune homme. Et plus de longue marche pendant un ou deux jours, d'accord ?

CHAPITRE 3

L'autobus pour Piazza était beaucoup plus petit que les gros qui traversent Kidame avec fracas. Plus petit et bondé.

— Il est plein, murmurai-je en voulant reculer.

Yusuf me poussa brusquement dans le dos. Son coup me projeta en avant et je tombai presque sur les genoux d'une dame plantureuse coiffée d'un foulard noir.

Mon visage s'empourpra, mais je n'eus pas le temps de penser à mon embarras car, après moi, Yusuf avait poussé Grand-Père, qui atterrit presque au même endroit que moi.

D'une manière ou d'une autre, les passagers réussirent à se serrer et Grand-Père put s'asseoir correctement. Quant à moi, je me glissai au mieux dans l'interstice qui restait entre lui et la grosse dame. Un garçon ferma la porte coulissante à grand bruit et le minibus repartit.

Le trajet fut épouvantable. Je ne pouvais m'empêcher de pencher vers la grosse dame, qui me décocha plusieurs coups de coude tout en marmonnant dans sa barbe. Le moteur de l'engin rugissait et nous avancions par embardées. Personne ne semblait s'en soucier. Je ne comprenais pas qu'on puisse vivre ainsi. Mais surtout, j'appréhendais le moment où il me faudrait régler le trajet, car je ne savais toujours pas combien il coûterait. Alors que je m'apprêtais à tirer la bourse de mon tee-shirt, Grand-Père soulagea mon inquiétude. Il sortit quelques pièces de sa poche et les donna lui-même au garçon, qui les accepta avec un hochement de tête.

L'atmosphère dans ce minibus était étouffante. L'odeur des personnes qui souffraient de la chaleur ne me dérangeait pas, mais les vapeurs d'essence me soulevèrent le cœur et je craignis d'avoir la nausée.

« Je ne peux pas me permettre d'être malade, me dis-je. Je ne dois pas l'être. Faites que je ne le sois pas ! »

Au moment où je pensais ne plus pouvoir me retenir, le jeune contrôleur lança depuis la porte : « Piazza ! » L'autobus s'arrêta avec un soubresaut, la porte coulissante s'ouvrit d'un coup et le minibus se vida.

J'avais redouté cet instant. Je me répétais sans cesse ce qu'Abba m'avait dit : que Grand-Père était vieux, qu'il n'était pas allé à Addis Abeba depuis des années et que je devrais veiller sur lui.

« Je ne peux pas m'occuper de lui ! pensai-je, saisi d'affolement. Je ne sais pas m'occuper de moi-même ! Je n'ai pas la moindre idée de l'endroit où on se trouve, ni de l'adresse où on doit aller ! »

Je n'avais aucune raison de m'inquiéter. Grand-Père avait remis son grand châle sur ses épaules et semblait prêt à démarrer.

— Solomon, ne reste pas là la bouche ouverte, me jeta-t-il. Viens ici. Sur quoi crois-tu que je vais m'appuyer ? Le vent ?

Là-dessus, la main serrée sur mon épaule, il se mit en marche et nous nous frayâmes un chemin à travers la foule.

Je me sentais plus mal encore que durant la journée. Je souffrais des pieds, mes oreilles bourdonnaient de tout le bruit ambiant causé par les passants et la circulation, et j'avais toujours la nausée.

« Grand-Père, on est bientôt arrivés ? » avais-je envie de demander. Mais je ne voulais pas passer pour un bébé.

C'est alors que la main de Grand-Père se vrilla sur mon épaule. Il me guida hors de la grande rue passante vers une ruelle perpendiculaire. Puis il s'immobilisa.

— On est arrivés ? demandai-je enfin.

Comme il ne me répondait pas, je levai les yeux vers lui et restai incrédule : Grand-Père n'était pas sûr de lui. Il m'apparut soudain plus petit, et plus vieux.

Nous nous étions arrêtés devant une palissade en tôle ondulée percée d'une porte. Celle-ci s'ouvrit justement et un homme en sortit. Il semblait du même âge que mon père.

Grand-Père s'éclaircit la voix.

— Bonjour, dit-il d'une voix presque chevrotante. M. Wondu habite-t-il ici ?

L'homme, qui s'éloignait déjà, se figea avant de se retourner.

— Oui.

C'était la fin de l'après-midi et la lumière avait presque disparu. L'homme se pencha pour étudier Grand-Père de plus près.

— Oncle Demissie ! C'est vous ?

Je me sentis si soulagé que mes genoux se dérobèrent presque sous moi. Grand-Père eut la même réaction.

— Wondu, mon garçon. C'est bien toi, n'est-ce pas ?

Ils se saluèrent en se serrant la main et en se touchant les épaules, la droite, la gauche, puis la droite encore. Malgré le crépuscule, je remarquai ce que Grand-Père ne pouvait voir : le cousin de mon père avait l'air consterné.

« On dirait qu'il a presque peur de nous, pensai-je. En tout cas, il aurait préféré ne pas nous voir. »

Cousin Wondu s'efforça de retrouver contenance et réussit même à sourire faiblement.

— Entrez, mon oncle, dit-il en nous précédant dans l'enceinte de sa maison. D'où arrivez-vous ? Vous êtes partis depuis longtemps ?

— Ce matin, de la maison, répondit Grand-Père.

Nous traversâmes un petit carré de terre et Cousin Wondu ouvrit la porte de chez lui.

— Comment s'est passé votre trajet ? reprit-il. Le bus devait être plein à craquer. Est-ce qu'il est tombé en panne ? Ça lui arrive chaque fois que je le prends pour sortir d'Addis.

« Il se moque de nous, songeai-je. Il nous croit ignorants. »

— Quel bus ? s'étonna Grand-Père. On a marché, qu'est-ce que tu crois ?

En temps normal, sa brusquerie me terrifiait, mais cette fois, je fus heureux de l'entendre.

— Vous avez... marché ? répéta Wondu, interloqué.

Une femme avait écarté le rideau de perles qui recouvrait une porte au fond de la pièce. Elle avait un visage étroit et un regard perçant.

Lorsqu'elle nous vit, elle sursauta et se dégagea de la petite fille qui s'agrippait à sa jupe.

— Meseret, tu te souviens d'Oncle Demissie ? lui demanda Cousin Wondu d'un ton presque suppliant. Quelle joie de le revoir après tout ce temps, n'est-ce pas ?

— Bienvenue, déclara Cousine Meseret à contrecœur. Qui est-ce ?

Tous les yeux se tournèrent vers moi. Cloué sur place, l'air sans doute sot, je me sentis traversé par une bouffée de chaleur.

— C'est Solomon, mon petit-fils, expliqua Grand-Père.

— Lui aussi est venu à pied de Kidame ? s'étonna Cousin Wondu.

— Bien sûr, répliqua Grand-Père. Ce n'est rien pour un garçon de son âge. Quand j'avais onze ans, je...

Il se lança dans un de ses longs récits. Pour ma part, je ne pensais qu'à une chose : « Quand vont-ils nous donner à boire et à manger ? »

Ils finirent par nous servir, comme il se doit. La maison soudain s'anima et j'entendis des mots vifs prononcés par Cousine Meseret dans la cuisine à l'arrière du salon. Elle donnait des ordres à Cousin Wondu. Je dois admettre avoir été un peu choqué. Ma n'aurait jamais parlé ainsi à Abba. Cousin Wondu finit par réapparaître chargé de bouteilles de soda à l'orange. (Je remerciai intérieurement Marcos de m'avoir offert une de ces boissons gazeuses un jour chez lui, sinon j'aurais été drôlement surpris par les bulles.) Cousin Wondu ouvrit les bouteilles d'un geste nerveux.

— Bien sûr, vous restez avec nous, dit-il en jetant un regard en coin vers sa femme qui hocha la tête, un sourire forcé aux lèvres.

Leur invitation me détendit instantanément. Je ne m'étais pas rendu compte à quel point je m'inquiétais de savoir où nous dormirions cette nuit-là.

« Victoire ! jubilai-je intérieurement. On a réussi ! On est arrivés ! »

Je ne me rappelle pas grand-chose d'autre de la soirée car, dès le repas terminé (il s'était révélé savoureux et copieux en viande), une telle fatigue s'abattit sur moi que j'eus peine à garder les yeux ouverts. Néanmoins, j'entendis Grand-Père déclarer :

— Nous ne resterons que deux nuits, Wondu. Je dois voir quelqu'un demain. Et nous repartirons le matin suivant.

J'eus le temps de percevoir un véritable soulagement dans le regard de Cousin Wondu, qui répondit sans grande conviction :

— Vous pouvez rester aussi longtemps que vous le souhaitez, mon oncle. Vous êtes ici chez vous.

CHAPITRE 4

Rien ne m'aurait gardé éveillé ce soir-là. Je crois que je m'endormis avant même de m'être allongé sur la natte que Cousin Wondu avait déroulée par terre pour moi.

Les pièces de sa maison regorgeaient de meubles. Il fallait sans cesse veiller à ne pas se cogner contre l'un d'eux. Chez nous, à l'exception de tabourets, il n'y avait pas de mobilier.

Un grincement suivi d'un son métallique finit par me tirer de mon sommeil. J'ouvris les yeux, et pris peur. La lumière était si vive ! Elle se déversait dans cette étrange pièce à travers des fenêtres vitrées.

Je m'assis. Le lit à côté de moi était vide. Les bruits que j'avais entendus étaient provenus de mon grand-père, qui s'était levé et avait ouvert la porte métallique pour sortir. Je me mis debout avec un gémissement. Mon corps était raide et j'avais mal aux pieds.

Grand-Père buvait un verre de thé, assis à table avec Cousin Wondu. Bouche bée, la petite fille que j'avais aperçue la veille le dévisageait. Elle était vêtue d'une robe rose dont les rangées de volants formaient comme une bouée autour d'elle. J'aurais bien aimé que Konjit la voie. Les yeux lui en seraient sortis de la tête.

Grand-Père s'éclaircit la voix et la petite fille recula d'un bond, effrayée.

— Dis bonjour à mon oncle, lui dit Cousin Wondu d'un ton jovial en la poussant vers lui.

Elle n'en avait nullement envie. D'ailleurs, elle décampa aussitôt pour se réfugier dans la pièce au grand lit avant de claquer la porte derrière elle.

— Elle nous mène à la baguette, murmura Cousin Wondu avec un sourire tendre.

Je regardai Grand-Père. Je savais qu'il désapprouverait pareille déclaration. À ses yeux, il n'était jamais trop tôt pour apprendre aux enfants à se montrer respectueux. Je m'attendais donc à ce qu'il se renfrogne, mais je découvris qu'il avait à peine prêté attention à la petite fille. Il avait l'air malade. Sa peau était redevenue grisâtre et ses yeux semblaient s'être creusés.

Cousin Wondu aussi l'avait remarqué.

— Vous devriez vous reposer, mon oncle, lui conseilla-t-il. Rester tranquille aujourd'hui. Et aller à votre rendez-vous demain.

Comme j'étais certain qu'il le ferait, Grand-Père fit non de la tête.

— Inutile de s'apitoyer, grommela-t-il. Je vais bien.

Il passa la main sous son châle et en ressortit un papier froissé, plié menu.

— Tiens, reprit-il. « Pâtisserie du bonheur ». Tu peux me dire où trouver cet endroit ?

Cousin Wondu grimaça. Il se mordit la lèvre et jeta un regard en coin à Cousine Meseret, qui haussa les épaules d'un air indifférent.

— Vous voulez acheter des gâteaux, mon oncle ? demanda-t-il alors. Aucun besoin de traverser la ville pour ça. Meseret peut aller vous en chercher.

Il avança vers lui une assiette de roulés.

— Servez-vous, je vous en prie. Toi aussi, Solomon. Regarde, celui-là est au miel. Ce sont les meilleurs.

Il parlait d'une voix douce, comme s'il s'était adressé à un enfant. Son attitude me déplut. Grand-Père, lui, rejeta son offre d'un revers de main, comme s'il avait chassé une mouche.

— Si tu ne connais pas cet endroit, je trouverai quelqu'un qui saura me dire où c'est, déclara-t-il.

Je ne comprenais pas pourquoi Grand-Père avait besoin d'aller chez un pâtissier. Je regardai avec convoitise l'assiette de roulés sur la table. Du pain blanc ! J'en avais rarement mangé. J'étais trop timide pour me servir, mais Grand-Père m'invita à le faire d'un brusque signe de tête.

— Mange, Solomon, on doit y aller.

Cousin Wondu se mordait toujours les lèvres.

— Et si vous me laissiez vous aider, mon oncle ? reprit-il avec un large sourire. Je vais chercher cette pâtisserie moi-même ! Si ça se trouve, elle est à des kilomètres d'ici, à l'autre bout de la ville. Vous allez vous épuiser à marcher encore toute la journée. Laissez-moi y aller et je vous rapporterai l'adresse ou, encore mieux, je transmettrai votre message si vous devez voir quelqu'un de précis.

Cousin Wondu manigançait quelque chose. C'était évident, il se montrait trop zélé. Je connaissais ce genre d'expression. Marcos affichait la même quand il disait à son père que nous allions faire nos devoirs ensemble à l'ombre de l'arbre dans la cour de l'école, alors que nous envisagions de jouer au ballon.

« Il se moque que Grand-Père soit fatigué, me dis-je. Il ne veut pas qu'on se rende à cette pâtisserie. Pourquoi ? »

Je songeai à attirer l'attention de Grand-Père par un coup de coude discret, mais je n'eus pas besoin de le faire. Grand-Père ne connaissait pas la ville aussi bien que Cousin Wondu, mais cela ne faisait pas pour autant de lui un homme naïf, comme je le savais trop bien moi-même.

— J'apprécie ton offre, mon garçon, répondit-il à Cousin Wondu en hochant la tête d'un air apparemment flatté, mais je suis sûr que tu dois partir travailler. On se retrouvera ce soir. En route, Solomon, à moins que tu ne prévoies de rester assis là à manger toute la journée.

Cousin Wondu adressa un regard désespéré à Cousine Meseret, qui s'empressa d'intervenir :

— La ville va être un vrai cauchemar aujourd'hui. Les athlètes olympiques atterrissent à l'aéroport ce matin et les rues seront bondées. Ils organisent un défilé triomphal pour eux. Vous ne pourrez jamais aller nulle part.

Cousin Wondu renchérit.

— Elle a raison. Vraiment, mon oncle, on va s'inquiéter pour vous si vous sortez.

J'aurais pu lui dire qu'il lui était inutile de gaspiller sa salive. Rien n'arrêtait Grand-Père quand il avait pris une décision et, pour une fois, j'en étais ravi. Un défilé ! Je le verrais peut-être. Je *les* verrais peut-être ! Et si cela m'arrivait, tout Kidame en mourrait d'envie.

Nous partîmes peu de temps après. Cousin Wondu nous talonnait toujours en protestant quand nous passâmes la porte du jardin, mais Grand-Père ne lui prêta aucune attention. J'avais encore mal aux pieds et aux jambes à cause du trajet de la veille, mais j'oubliai ma douleur dès que nous quittâmes la rue de Cousin Wondu pour emprunter la route principale.

Tout attirait mon attention, les voitures, les bâtiments, les passants. Cependant, je me sentis totalement dérouté par le concert du hurlement des klaxons, du rugissement des camions et des cris des gens. Cousin Wondu n'avait pas menti. La circulation et le monde dans les rues étaient bien plus importants que la veille. Tout le monde attendait le passage du cortège.

Je pris brusquement conscience que j'avais perdu Grand-Père. L'espace d'un instant, je restai paralysé par la peur, puis le groupe d'écolières qui marchait devant moi se scinda et j'entrevis sa tête chenue. Il avançait de son pas calme et posé. Je m'élançai pour le rattraper et éprouvai l'envie puérile de lui prendre la main, ce que je ne fis pas, évidemment.

— Où va-t-on, Grand-Père ? demandai-je. Comment allons-nous trouver cet endroit ?

Il n'aimait pas les questions. J'aurais donc pu m'épargner de poser la mienne, car je savais qu'il n'y répondrait pas. Au lieu de cela, il se dirigea vers un magasin, pas une de ces boutiques chic agrémentées de grandes vitrines, mais un tout petit commerce, qui semblait venu tout droit de la campagne, comme nous.

Un vieil homme prenait le soleil matinal assis sur un banc en façade. Grand-Père s'arrêta devant lui et toussa poliment pour attirer son attention. Le vieil homme leva la tête.

Bien sûr, l'échange s'éternisa. C'est toujours le cas avec les messieurs d'un certain âge. Ils se saluent, se présentent, expliquent ce qu'ils font, ils sont intarissables. Quand Grand-Père s'installa à côté du vieil homme et qu'ils commencèrent à parler de l'état des routes à Addis Abeba, j'eus peur que nous n'y passions la journée.

Mais Grand-Père finit par aborder le sujet qui l'avait amené là.

— La Pâtisserie du bonheur ? répéta le vieil homme, les yeux tout contre le morceau de papier froissé de Grand-Père. Oui, je sais où elle se trouve. Elle n'est pas loin du tout. Je vais demander à mon neveu de vous montrer le chemin.

Il se tourna vers la porte ouverte du magasin et lança :

— Kebede ! Où est ce maudit garçon ? Viens ici !

Un jeune sortit bientôt. Il semblait avoir le même âge que moi.

— Conduis ce monsieur jusqu'à la Pâtisserie du bonheur, lui ordonna le vieil homme, et reviens tout de suite après.

— Oui, mon oncle, répondit le garçon.

Toutefois, quand il eut remarqué que je l'observais, il m'adressa un sourire entendu. Je faillis éclater de rire. Il prendrait le temps de se promener tout seul une fois qu'il nous aurait menés à bon port, j'en étais persuadé.

Je craignais d'être intimidé en présence d'un citadin aussi avisé que Kebede, qui portait des chaussures aux pieds et un short apparemment neuf, mais il se révéla si avenant que je l'appréciai aussitôt.

— Ils vont passer par là ? Les athlètes, je veux dire, lui demandai-je.

— Eh bien, oui, me répondit-il. Qui crois-tu que tout le monde attend ?

Je n'arrivais toujours pas à croire que j'allais vraiment les voir. Aussi loin que je me souvienne, Derartu Tulu et Haile Gebreselassie avaient été mes héros. À mes yeux, ils étaient surnaturels, pas du tout humains. Je n'aurais jamais imaginé, même dans mes rêves les plus fous, que je pourrais les admirer un jour en chair et en os.

— Et voilà, déclara soudain Kebede. La Pâtisserie du bonheur.

Son oncle avait raison. Il nous avait fallu très peu de temps pour arriver.

— Tu es un bon garçon, lui dit Grand-Père.

Il sortit de sa poche une pièce qu'il lui donna, avant d'ajouter :

— Repars tout de suite au magasin.

Kebede le remercia poliment, m'adressa un clin d'œil discret, et disparut.

Je levai les yeux vers le linteau de la porte, sur lequel on pouvait lire « Bonheur ». L'enseigne était si grande qu'elle se voyait sans aucun doute de très loin.

« Cousin Wondu doit connaître cet endroit. Que cache-t-il ? » me demandai-je de nouveau.

CHAPITRE 5

L'idée d'entrer dans une pâtisserie m'enthousiasmait. Il n'y en avait pas à Kidame, mais Marcos m'avait parlé des gâteaux sucrés que son oncle avait apportés à sa famille lors d'une visite. Selon lui, il n'en avait jamais mangé d'aussi bons de toute son existence. Apparemment, ils collaient aux dents, mais de façon agréable. Je n'étais pas assez naïf pour m'attendre à ce que Grand-Père m'en achète un, bien sûr, mais je l'espérais un peu malgré tout.

De fait, je n'eus même pas le temps d'observer l'intérieur du magasin, dans lequel j'entrevis juste un sol brillant, quelques chaises et tables métalliques, ainsi qu'un comptoir vitré à plusieurs étagères, toutes chargées de gâteaux jaunes, marron et blancs.

Grand-Père n'avait aucune intention d'entrer dans la Pâtisserie du bonheur ; c'était le bâtiment adjacent qui l'intéressait. Ce dernier était haut, cinq étages en tout, et plusieurs boutiques en occupaient le rez-de-chaussée. Grand-Père y poussa une porte latérale et commença la lente ascension de l'escalier qui se trouvait là. Lorsque le battant se referma en claquant derrière nous, je reconnais avoir ressenti quelques frissons. Je n'étais jamais entré dans un immeuble. Et je n'étais pas habitué à monter des escaliers. À Kidame, même notre école était de plain-pied.

Je suivis Grand-Père, marche après marche, aussi lentement que lui. Tous les paliers étaient flanqués d'une porte à gauche et à droite. Grand-Père s'arrêtait à chacun d'eux et, tout en reprenant son souffle, pointait du doigt les plaques qu'il voulait que je lise à haute voix. Ces dernières étaient en anglais, or lui comprenait mieux l'amharique[1].

« Assurances du Nil Bleu. Ghion Export. Lion Import-Export. »

À chaque nom, Grand-Père secouait la tête, soupirait et reprenait l'ascension de l'escalier.

---

1. Langue majoritaire en Éthiopie. (N.d.T.)

Nous finîmes par arriver devant une porte qui disait simplement « Compagnie des Sports Éthiopiens ». Quand Grand-Père entendit cette appellation, il gronda de satisfaction, ce qui lui provoqua une quinte de toux. Je peux vous dire, pour le cas où cela vous intéresserait, que nous avions gravi soixante-neuf marches.

Je me tournai vers Grand-Père. Il était agrippé à la rampe, le visage de nouveau gris. Je ne pouvais rien y faire, alors j'attendis qu'il ait repris son souffle.

— C'est ici que tu voulais venir, Grand-Père ? Tu vas mieux ?

Sans répondre, il me prit par l'épaule et s'appuya sur moi pour effectuer les quelques pas qui le séparaient de la porte. Celle-ci s'ouvrit avant que nous n'ayons le temps de frapper et une élégante jeune femme vêtue d'une robe rouge en sortit précipitamment. Un sac à main se balançait à son épaule. Elle s'élança dans l'escalier et ses talons hauts retentirent sur les marches. Bien qu'elle ne m'ait jeté qu'un bref coup d'œil, je me recroquevillai comme un ver. Je venais de me rendre compte, avec horreur, que j'étais pieds nus, que ma chemise était toute fripée et mon vieux short, taché.

Une fois n'est pas coutume, je crois que Grand-Père comprit ce que je ressentais, car il me serra le coude et dit :

— Ah, les filles de la ville, hein, Solomon ? Elles se prennent toutes pour la reine de Saba.

Puis il redressa les épaules et pénétra avec détermination dans la Compagnie des Sports Éthiopiens.

Il lui fallut un moment pour expliquer la raison de sa présence, ce qui nous valut bon nombre de regards noirs et de sourcils levés de la part des cinq employés présents. Chacun était assis derrière un bureau, occupé à trier des piles de documents, à taper sur un clavier, à fixer un écran ou à parler au téléphone. C'est à ce moment-là que Grand-Père prononça le nom d'Ato Alemu pour la première fois. On finit par nous faire signe d'aller prendre place sur un banc installé contre un mur.

Je n'avais toujours aucune idée de ce que Grand-Père voulait, ni de la raison pour laquelle nous nous trouvions là et, tandis que nous attendions, longtemps, je commençai à me demander s'il le savait lui-même. J'avais entendu dire qu'il arrivait aux personnes âgées de perdre leurs esprits. Peut-être Grand-Père avait-il pris la décision de ce voyage à Addis sur un coup de tête.

J'aurais dû savoir que mon rusé de grand-père parviendrait à ses fins. Une porte finit par s'ouvrir à l'autre bout de la salle et un homme apparut. Il nous regarda sans un sourire, d'un air empreint d'une certaine méfiance, comme s'il voyait en nous un fléau potentiel. J'appris par la suite qu'il avait à peu près le même âge qu'Abba et Cousin Wondu, mais il paraissait beaucoup plus jeune et son style était très différent. Il portait une chemise d'un blanc étincelant, une cravate bleue, et ses chaussures cirées brillaient. Il avait des mains lisses – pas du tout comme celles d'Abba, rendues fortes et calleuses par le travail – et une grosse bague dorée ornait un de ses doigts. Une montre couleur argent pointait sous la manche de sa chemise.

— On me dit que vous êtes Ato Demissie ? lança-t-il, la mine renfrognée, avant de baisser les yeux vers moi. C'est ce garçon qui vous a conduit ici ? Tu peux y aller, fiston, ajouta-t-il à mon intention en cherchant une pièce dans sa poche.

Grand-Père, qui avait du mal à se relever du banc, gronda avec irritation puis répondit d'une voix sifflante :

— Solomon est mon petit-fils. C'est donc vous Alemu, le fils de Petros, vraiment ?

L'homme plissa le front, puis acquiesça d'un bref signe de tête.

— Suivez-moi, lâcha-t-il.

Sous le regard curieux des employés, nous suivîmes cet homme prénommé Alemu dans une autre pièce, dont il ferma la porte derrière nous.

CHAPITRE 6

Trois fauteuils répartis autour d'une table basse occupaient un coin de l'espace. Je m'assis timidement sur le bord de l'un d'eux. J'avais peur de le salir. Ato Alemu se pencha au-dessus de son bureau pour appuyer sur un bouton. Aussitôt, une des élégantes employées entra.

— Apportez-nous des sodas et du café, lui ordonna Ato Alemu sans la regarder.

Il dévisageait Grand-Père d'une manière qui frisait l'impolitesse et je craignis que ce dernier ne se mette en colère.

— Alors comme ça, c'est vous, la Flèche ? poursuivit-il.

Grand-Père s'enfonça dans son fauteuil et son visage se fendit d'un des plus larges sourires que je l'avais jamais vu faire.

— Oui. Moi, on m'appelait la Flèche, confirma-t-il. Et votre père, la Balle.

L'expression d'Ato Alemu se métamorphosa. La méfiance s'effaça instantanément de son regard pour y céder la place à un enthousiasme débordant. Je crus qu'il allait sauter de son fauteuil de joie.

— C'est donc bien vous ! s'exclama-t-il. Sans aucun doute ! Vous seul pouvez connaître le surnom de mon père. Je pensais que vous étiez... Oh, que je suis heureux de vous voir, Ato Demissie ! C'est un honneur pour moi de vous rencontrer enfin. Vous et mon père ! Les coureurs les plus rapides de la garde de Sa Majesté ! De l'armée éthiopienne entière ! Vous êtes le bienvenu, monsieur. Bien plus que les mots ne peuvent l'exprimer.

Mes yeux couraient de l'un à l'autre. Flèche ? Balle ? De quoi parlaient-ils ?

Apparemment, Ato Alemu lut dans mes pensées.

— Tu ne savais pas que ton vénérable grand-père avait été un coureur célèbre autrefois ? me lança-t-il en me tapant sur l'épaule.

Timidement, je fis non de la tête.

— Et un soldat de la garde d'élite de l'Empereur ? ajouta Ato Alemu.

Bien sûr, j'avais entendu parler de l'Empereur. Haïlé Sélassié. Tout le monde l'appelait « Sa Majesté ». Il avait dirigé l'Éthiopie pendant des années, jusqu'à ce que la révolution provoque sa chute. Abba n'était même pas encore né à cette époque. Les révolutionnaires avaient assassiné Haïlé Sélassié, puis raflé des milliers de personnes qu'ils avaient massacrées. L'Éthiopie avait connu une période terrible à cette époque. Personne n'aimait en parler, sauf pour se réjouir de la fin de ce règne de terreur.

— Oui, continua Ato Alemu. La Balle et la Flèche. Mon père et ton grand-père. Les deux hommes les plus rapides de l'armée.

Il se retourna vers Grand-Père.

— C'est formidable que vous soyez ici, Ato Demissie ! Mais comment m'avez-vous trouvé ?

Grand-Père secoua la tête avec tristesse.

— J'ai appris le décès de votre père. La nouvelle m'a bouleversé.

Le visage d'Ato Alemu s'assombrit.

— Oui, il est mort de façon soudaine. En une semaine. Nous avons fait de notre mieux. Médecins, médicaments...

— Je m'en doute, murmura Grand-Père, visiblement très affligé. La Balle, hein ? La Balle... répéta-t-il d'une voix presque inaudible.

— Mais comment m'avez-vous trouvé ? insista poliment Ato Alemu.

Grand-Père s'éclaircit la voix.

— Votre père m'a écrit l'an dernier, avant les Grandes Pluies. Bien sûr, il ne savait pas où j'habitais, mais il m'a fait parvenir la lettre par le biais d'amis communs. J'en ai déduit qu'après tout ce temps, il considérait qu'il n'y avait plus trop de danger à prendre contact avec moi. Sa lettre a circulé de main en main jusqu'à ce qu'un habitant de Kidame me la remette il y a trois semaines. Il m'a informé que je ne pourrais plus voir votre père, qu'il était décédé. Mais il m'a donné votre adresse.

L'assistante réapparut, chargée d'un plateau couvert de boissons. Tout en déposant son fardeau sur la table, elle me sourit.

« On change d'attitude tout à coup, n'est-ce pas ? » pensai-je d'un air victorieux. À notre arrivée, elle nous avait décoché un regard mauvais, comme si nous n'avions été que deux vulgaires mendiants. Elle se comportait différemment maintenant que nous étions reçus en invités de marque par son patron.

Grand-Père prit un verre de thé sur le plateau et j'osai m'emparer d'une bouteille de soda orange. Les yeux brillant de curiosité, Ato Alemu se pencha en avant.

— Combien de temps avez-vous passé en prison tous les deux ? Mon père a toujours refusé de me le dire.

Grand-Père en prison ? L'idée me donna le vertige.

— Cinq ans, répondit Grand-Père. Presque six. Des années brutales. La faim, les coups...

— Père n'a jamais rien mentionné à ce sujet. Sauf que vous lui avez sauvé la vie.

Grand-Père finit son thé.

— Tout le monde l'aurait fait.

— Pas d'après lui. Il m'a raconté que vous avez attaqué le gardien qui voulait le tuer et que vous l'avez mis hors d'état de nuire. S'ils vous avaient capturé, ils vous auraient exécuté.

Un lent sourire éclaira peu à peu le visage de Grand-Père.

— Sauf qu'ils ne m'ont pas attrapé...

Ato Alemu se redressa et frappa l'air de ses mains d'un air ravi.

— Alors, c'est donc vrai ? Ce que m'a dit mon père est vrai ? Vous avez sauté d'un camion en mouvement sur le dos d'un cheval lancé au galop avant de vous enfuir ?

J'en restai bouche bée. Jamais je n'avais rien entendu de tel. Jamais je n'aurais imaginé pareille histoire.

— N'exagérons rien, le cheval ne galopait pas vraiment, répondit Grand-Père d'une voix entrecoupée par un petit rire. Il trottait plus précisément. Et le camion allait très lentement.

— Racontez-moi tout, Ato Demissie, je vous en prie, l'implora Ato Alemu. J'ai toujours voulu connaître les détails de cette histoire.

Empli d'une fierté euphorique, je tournai la tête vers Grand-Père. Celui-ci arrangea son châle sur ses épaules et s'éclaircit de nouveau la voix.

— Oh, c'est simple, répondit-il enfin. Votre père et moi avons été arrêtés dès le début de la révolution. Après tout, on avait appartenu à la garde rapprochée de Sa Majesté. Ils savaient donc qu'on serait fidèles à notre empereur. Ils nous ont d'abord enfermés à Addis. Ça n'a pas été facile, mais...

Il haussa les épaules.

— ... on a survécu, tous les deux. Contrairement à de nombreux autres. Par contre, la Balle... votre père... a joué de malchance. Un de nos gardiens l'a pris en grippe. Sans raison. Il l'a choisi au hasard. Le problème, c'est qu'il était violent. Impitoyable. Le pire des harceleurs qui puisse exister. Si votre père ne vous a rien raconté de cette période, je ne le ferai pas non plus. Au bout d'un certain temps, ils ont décidé de nous envoyer dans un camp de travail, loin d'Addis, dans un endroit isolé. Là, chaque matin, ils nous forçaient à monter dans des camions et nous conduisaient jusqu'à une carrière où on devait casser des pierres avec des marteaux inadaptés qui ne nous servaient à rien. Le soir, ils nous ramenaient au camp à moitié morts d'épuisement et de faim. Un soir, sur le chemin du retour après une de ces longues et abominables journées, un incident a éclaté. Je ne sais pas comment exactement. La Balle avait dû dire quelque chose, ou rire. En tout cas, le gardien est devenu fou. Il s'est lancé sur la Balle et l'a attaqué avec sauvagerie. J'ai eu peur qu'il ne l'étrangle. Il y avait un marteau au sol à côté de moi. Je l'ai attrapé sans me poser de question et je l'ai utilisé pour frapper cet homme à la tête. Il s'est effondré comme une masse. Je me suis dit que je l'avais tué et qu'il valait mieux que je m'enfuie.

— Vous ne l'avez pas tué, intervint Ato Alemu. Il avait le crâne enfoncé, mais il a survécu. Sans jamais vraiment se remettre, cela dit. Une chose est sûre, c'est qu'il n'a plus jamais harcelé personne.

Ce fut au tour de Grand-Père de dévisager Ato Alemu. Il se racla la gorge et dit :

— Merci, mon fils. Vous venez de soulager ma conscience d'une peur qui me tenaillait depuis des années. Je me suis toujours considéré comme un meurtrier.

Je mourais d'envie de demander à Grand-Père qu'il finisse son récit, mais je n'aurais jamais osé le faire. Par chance, Ato Alemu avait la même envie que moi.

— Eh bien, reprit Grand-Père, le hasard a fait que je me trouvais à l'arrière du véhicule. Avant que les gardiens n'aient le temps de s'approcher, j'avais déjà passé une jambe par-dessus le garde-corps. Ce cheval... c'est Dieu qui l'a envoyé pour me sauver la vie... avait dû s'effaroucher au bruit des moteurs. Il avait échappé au fermier qui le menait par la bride et galopait tout contre notre camion. Alors j'ai sauté sur son dos, et j'ai bien failli tomber. Ma présence soudaine l'a tellement effrayé qu'il s'est emballé. Il a fait brusquement demi-tour et s'est élancé ventre à terre en rase campagne. Quand j'ai eu le sentiment qu'on était loin du camion, je me suis laissé glisser au sol et je me suis mis à courir. J'ai couru et couru, sans m'arrêter. J'entendais des cris et des coups de feu loin derrière moi, mais personne ne m'a rattrapé. Alors j'ai décidé de retrouver ma ferme. Mon périple a duré plusieurs semaines. Je me cachais, j'empruntais des chemins isolés. Quand je suis enfin arrivé à bon port, j'étais à moitié mort de faim, mais ma famille s'est bien occupée de moi. Je suis resté cloîtré dans notre maison le temps de laisser passer tout danger immédiat. J'étais toujours aux aguets, je ne parlais à personne. Et puis le cauchemar que vivait notre pays s'est terminé et on a tous pu marcher de nouveau la tête haute. Voilà toute l'histoire, Alemu. C'est comme ça qu'elle s'est déroulée.

CHAPITRE 7

Je ne me souviens que vaguement de la brève conversation qui s'ensuivit. Grand-Père posa beaucoup de questions sur la Balle, comment il avait vécu toutes ces années, comment il était mort. Pour ma part, j'avais besoin d'assimiler ce que je venais de découvrir.

Depuis ma naissance, Grand-Père avait toujours été là. Il vivait avec nous, dans notre maison, il aidait un peu aux travaux de la ferme, mais passait en général le plus clair de son temps assis sur une souche de bois devant la porte, le regard rivé sur la campagne alentour. Une fois par semaine environ, il se rendait à pied à Kidame où, durant quelques heures, il conversait avec les vieux messieurs de là-bas. C'est ainsi qu'il se tenait un peu au courant des événements. En revanche, personne ne lui rendait jamais visite.

Kidame est une petite ville où les commérages vont bon train. Grand-Père avait dû dissimuler ses aventures, car s'il les avait révélées ne serait-ce qu'à une personne, tout le monde l'aurait su, et la nouvelle serait parvenue jusqu'à nos oreilles.

J'essayais de m'imaginer Grand-Père jeune. Me ressemblait-il ? Qu'il devait avoir l'air impressionnant dans son uniforme de garde du corps ! Il était sans aucun doute incroyablement fort, et courageux aussi, pour avoir survécu à un camp de travail, sauté d'un camion sur un cheval et retrouvé le chemin de sa maison.

Je n'étais pas surpris qu'il ait attaqué le gardien, car je connaissais son caractère emporté. Avec nous, il se mettait en colère constamment, pour des broutilles qui plus est. Il me battait aussi, souvent, chaque fois qu'il me trouvait insolent.

Ma plus grande surprise fut d'apprendre qu'il avait eu un ami. Un ami proche. Un homme pour lequel il était prêt à mourir. Je n'aurais jamais prêté à Grand-Père de tels sentiments.

— Qu'est-ce que vous dites ?!

Je tournai vivement la tête. J'avais cessé d'écouter la conversation, mais le ton durci de Grand-Père me ramena à la réalité.

— Mon neveu Wondu est venu ici ? Avec cette femme qu'il a comme épouse ? Il voulait vous voir ?

— Oui, confirma Ato Alemu en hochant la tête. J'ai trouvé sa démarche un peu étrange. Quelque chose chez lui m'a dérangé... En fait, il m'a dit que vous étiez décédé l'an dernier.

Grand-Père poussa un grognement.

— Quel filou ! Je m'en doutais. Il m'a paru sournois comme son père. Je ne lui faisais pas confiance à celui-là, pourtant c'était mon frère. Il est mort maintenant, alors paix à son âme. Mais comme vous le voyez, je suis bien vivant. Quel intérêt Wondu peut-il avoir à ce que je sois mort ? Que voulait-il ?

— Je crains d'avoir été trop bavard, déclara Ato Alemu lentement. Je connais Wondu depuis longtemps. On a fait nos études à l'École de commerce ensemble. Il y a quelques semaines, je l'ai revu pour la première fois à une soirée, où il m'a rappelé que sa famille était originaire de Kidame. Comme mon père avait mentionné que vous veniez de cette région, je lui ai demandé s'il vous connaissait. Il m'a répondu : « Le vieux Demissie ? Oui, c'est mon oncle. » Je lui ai expliqué que je vous cherchais, parce que vous aviez été le meilleur ami de mon père et qu'avant sa mort, ce dernier m'avait donné quelque chose pour vous. Un objet de valeur que vous auriez dû avoir en votre possession toutes ces années, m'avait-il dit. Il l'avait précieusement gardé pour que vous puissiez le récupérer un jour.

Grand-Père hocha la tête d'un air satisfait, comme s'il avait longtemps caressé un espoir qu'il voyait enfin réalisé.

— À la fin de la soirée, poursuivit Ato Alemu, j'ai de nouveau croisé Wondu, qui s'apprêtait à partir avec sa femme. Celle-ci m'a adressé un grand sourire et m'a dit : « Wondu m'a fait part de la nouvelle. C'est formidable ! Vous avez un trésor de famille à remettre à son oncle ? » Son empressement sonnait faux. Elle essayait d'être charmante, mais je ne me suis pas laissé prendre. Je voyais bien que c'était une maligne. Elle mène ce pauvre Wondu par le bout du nez. Alors je lui ai répondu que l'objet en question n'avait qu'une valeur sentimentale et que, si Wondu m'indiquait comment prendre contact avec son oncle, je lui transmettrais l'objet. On était toujours sur le seuil de la porte et, comme un groupe se pressait derrière nous pour partir aussi, on s'est séparés et on est partis chacun de son côté.

Tous ces événements me dépassaient. J'avais du mal à en suivre le déroulement. Quel était ce mystérieux objet dont Ato Alemu parlait ?

Un trésor ? Sous forme d'argent ? D'or ? Mon esprit s'emballa. Allions-nous devenir riches ?

— Je me suis souvent posé la question de savoir s'il l'avait fait, déclara soudain Grand-Père, un grand sourire aux lèvres. Il avait promis qu'il essaierait s'il m'arrivait quelque chose. Mais comment a-t-il réussi à déterrer le paquet de l'endroit où je l'avais caché, à le sortir du camp ni vu ni connu et à le garder avec lui jusqu'à sa mort ? Il savait quel danger il aurait couru s'ils l'avaient trouvé en sa possession.

— Oui, il en était conscient, acquiesça Alemu, mais il ne cessait de répéter à quel point il vous était redevable. Il connaissait la valeur que vous accordiez à cet objet. Et puis, vous lui aviez sauvé la vie.

— Oh, je vous en prie ! Qu'est-ce que c'est ? De quoi parlez-vous ?

J'avais brusquement perdu patience, ce qui ne fit aucune différence, car tous deux continuèrent de m'ignorer. Le visage de Grand-Père était devenu noir de colère.

— Donc, Wondu et Meseret sont venus vous voir, gronda-t-il. Je comprends pourquoi maintenant. Ils veulent s'approprier ce souvenir que j'ai hérité de mon père. Mon frère leur en a sûrement parlé. Il n'a jamais accepté que notre père me l'ait offert.

— Ils sont venus la semaine dernière, reprit Ato Alemu. C'est là que Wondu m'a dit que vous étiez décédé et que si je lui remettais l'objet, il s'assurerait de l'apporter à votre fils, son cousin. Je l'ai trouvé étrange. Il avait l'air nerveux. Sa madame Meseret l'interrompait constamment, finissait ses phrases pour lui.

Je ressentis de nouveau le besoin d'intervenir.

— Du coup, vous ne leur avez rien donné, lâchai-je. Parce que vous ne leur faisiez pas confiance.

Cette fois, Grand-Père et Ato Alemu se tournèrent vers moi. Je crois qu'ils avaient oublié ma présence.

— Tu comprends vite, Solomon, s'esclaffa Ato Alemu. En effet, je n'ai pas donné l'objet à Wondu. J'avais décidé d'aller à Kidame dès que je pourrais me libérer afin de rendre visite moi-même à votre famille.

Grand-Père semblait avoir oublié Cousin Wondu. Il secouait la tête d'un air étonné.

— Alors ça, marmonna-t-il. Malgré les circonstances, la Balle l'a gardé pour moi. Il l'avait insinué dans sa lettre sans me révéler exactement ce qu'il voulait me remettre. Il devait sentir qu'il n'en avait plus pour longtemps à vivre et il voulait que je récupère mon bien avant sa mort. Quel homme ! Il n'y en aura plus jamais d'autre comme lui.

Ato Alemu se leva et passa derrière son bureau.

— Je l'ai ici, dit-il. Et je vais vous le donner maintenant.

CHAPITRE 8

Le moment était enfin arrivé. Ato Alemu ouvrit un tiroir de son bureau, dont il sortit une petite boîte bosselée, guère plus grande qu'une boîte d'allumettes. Il la déposa dans les mains de Grand-Père.

J'avais du mal à respirer tant j'étais impatient de découvrir la nature de cet objet dont ils venaient de parler sans jamais l'avoir nommé. Toutefois, Grand-Père prit son temps. Il secoua la boîte une fois, puis la tint sans plus bouger durant plusieurs minutes interminables.

— Incroyable... finit-il par murmurer. Après tout ce temps !

Alors que je commençais à bouillir de curiosité, il ouvrit le couvercle coulissant. Le cou tendu, les yeux écarquillés, je me penchai aussi loin que mon audace m'y autorisa.

Quelle déception ! Aucun reflet d'or, aucun scintillement de bijoux, rien, à l'exception d'une pièce de métal marron incrustée d'une tête.

Je mourais d'envie de demander : « Mais c'est quoi ? Qu'est-ce que ça a de si spécial ? »

Ato Alemu eut pitié de moi.

— Ce que tu vois, Solomon, m'expliqua-t-il, est la médaille du Mérite militaire de Haïlé Sélassié Ier. L'Empereur l'a remise au père de ton grand-père pour...

— Actes de bravoure extrême, le coupa Grand-Père. Sa Majesté a accroché cette médaille à l'habit de mon père de ses propres mains, juste avant ma naissance.

« Grand-Père avait un père ? » Ce fut la seule phrase qui me vint à l'esprit. Je me doutais bien que c'était le cas. Tout le monde en a un. Mais je n'avais jamais entendu parler de celui-là. Que tout était étrange !

— Alors mon... mon arrière-grand-père aussi était soldat ? balbutiai-je.

Fidèle à lui-même, mon grand-père ne fit rien pour satisfaire ma curiosité.

— Bravoure extrême, se contenta-t-il de répéter. À l'époque, c'étaient tous des héros, sans exception, qui se battaient pour chasser l'envahisseur italien de notre pays. Mais mon père fut l'un des plus grands.

— Alors, cette... comment appelez-vous ça ?... médaille a de la valeur ? demandai-je.

À regarder ce petit objet marron sans intérêt, j'avais du mal à l'imaginer.

— Pour dire le moins, répondit Ato Alemu. Ces médailles sont extrêmement rares. Les collectionneurs sont prêts à les payer très cher pour se les approprier.

— C'est pour cette raison que Cousin Wondu la voulait ? poursuivis-je. Pour la vendre ?

Grand-Père referma la boîte d'un geste sec.

— Wondu ! s'exclama-t-il, plein d'amertume. Il ne mettra pas la main sur cette médaille. Elle n'est pas à vendre. Ni aujourd'hui, ni demain. Elle restera dans la famille. Ma famille. Mon père me l'a donnée quand je suis entré dans la garde de Sa Majesté. « Demissie, m'a-t-il dit, emporte-la avec toi à la caserne. Prends-en bien soin. Un jour, elle te portera chance. »

Les questions se bousculaient dans ma tête. Comme je savais que Grand-Père n'aurait pas la patience de répondre à toutes, je choisis celle qui m'importait le plus.

— Grand-Père, pourquoi l'as-tu cachée au camp de travail ?

Grand-Père rouvrit le couvercle, puis vint placer la médaille juste sous mon nez.

— Tu vois cette tête ? Sais-tu qui c'est ? Sa Majesté, Haïlé Selassié. À ton avis, qu'auraient fait ces fous de révolutionnaires s'ils avaient trouvé sur moi une représentation de leur ennemi juré ? À cette époque, on exécutait des personnes chaque jour pour bien moins que ça.

— Tu l'as enterrée, mais tu l'avais montrée à la Balle avant.

— À mon camarade d'armes, oui, bien sûr, répondit Grand-Père d'un air sévère. C'était mon ami en tout.

Il rangea la médaille dans sa boîte, mit celle-ci dans sa poche, puis posa les deux mains sur la table, visiblement prêt à se lever.

— C'est gentil à vous de vous en être si bien occupé, Alemu. Le fils de la Balle, hein ? Vous êtes de la même trempe que lui.

— Merci, monsieur, répondit Alemu avec fierté. Mon père était un grand homme.

À cet instant, des klaxons retentirent dans les rues. Le cortège des athlètes devait approcher ! Il était peut-être tout près ! Je retins mon souffle. Allais-je les rater ? Grand-Père allait-il me retenir prisonnier dans ce bureau, alors que le plus grand événement que je verrais sans doute de ma vie se déroulait au pied de cet immeuble ?

J'avais oublié que je pouvais compter sur la détermination de mon grand-père. Il était prêt à partir. Toutefois, Ato Alemu leva la main.

— Restez, mon oncle, lui recommanda-t-il. Les rues vont être bondées. Attendez au moins que le cortège soit passé.

Il avait prononcé le mot « oncle » apparemment sans s'en rendre compte. Comme s'il faisait désormais partie de notre famille. Grand-Père en eut l'air heureux. Néanmoins, une rue pleine de monde n'allait pas le détourner de sa décision.

— Non, déclara-t-il en effet en finissant de se redresser. Nous devons y aller. Viens, Solomon.

Ato Alemu ouvrit la porte pour nous laisser sortir et l'autre pièce entra en effervescence. Les yeux rivés vers la rue en contrebas, les employés s'étaient agglutinés devant les fenêtres. À la vue de leur patron, ils s'égaillèrent prestement en direction de leurs bureaux respectifs.

Ato Alemu ne sembla pas s'en formaliser.

— Dans combien de temps seront-ils là ? demanda-t-il à un jeune homme qui avait une petite radio encore collée à l'oreille.

— Ils ont quitté l'aéroport, monsieur, répondit l'employé. Je dirais dans une demi-heure.

Les au revoir me parurent durer une éternité, mais Grand-Père et moi finîmes par amorcer la descente de l'escalier.

En bas, la foule se révéla si dense qu'il nous fut difficile de pousser la porte pour sortir de l'immeuble. À peine dans la rue, le mouvement de masse nous souleva et nous emporta. Je n'avais jamais vu autant de personnes serrées les unes contre les autres et je dois admettre que je pris peur. Je craignais que nous ne soyons écrasés.

Grand-Père lui-même avait l'air un peu désorienté. À mon avis, il regrettait de ne pas être resté dans le bureau d'Ato Alemu comme celui-ci lui avait suggéré de le faire, mais il ne l'aurait jamais admis et serait encore moins reparti se réfugier à l'intérieur de l'immeuble. De toute façon, il aurait eu trop de mal à remonter les marches.

Nous essayâmes de rester à l'arrière de la foule et de longer les murs des bâtiments. L'air y était plus respirable. Au bout d'un moment, je m'habituai à la situation. Les personnes semblaient de bonne humeur, se parlaient, s'écartaient pour nous laisser passer.

— Ils arrivent ? lança quelqu'un à un homme qui écoutait un petit poste de radio.

— Oui ! Dans dix minutes maximum ! Ils sont presque à Piazza !

Quand je repense à ce qui arriva alors, j'en ai encore des frissons dans le dos. Et je ressens toujours la même honte. Comment pouvais-je être aussi stupide ? Comment avais-je pu oublier la précieuse bourse remplie d'argent qui pendait au bout de sa ficelle à mon cou ?

Comment avais-je réussi à la laisser se balancer si négligemment en dehors de mon tee-shirt ?

Tout alla très vite. Nous tentions de contourner un attroupement qui se tenait devant l'entrée d'un magasin lorsqu'un garçon, en haillons et très grand, se glissa entre Grand-Père et moi. J'essayai de passer derrière lui, mais il m'en empêcha. Puis il me fixa d'un œil mauvais.

— S'il te plaît, je ne vois plus mon grand...

Je n'eus pas le temps de terminer ma phrase. Le garçon leva brusquement le menton, qu'il hocha à l'intention d'une personne qui se trouvait derrière moi. Au même moment, je sentis qu'on tirait sur mon cou. Je voulus tourner la tête, mais le garçon devant moi m'empoigna le bras et le serra à m'en faire mal. Je tentais de me libérer lorsqu'il me lâcha soudain et s'élança dans la foule, suivi d'un autre garçon plus petit que lui. En une seconde, ils avaient disparu.

Alors que je levais la main pour frictionner mon bras douloureux, je fis la terrible découverte : on avait coupé la ficelle à mon cou. Elle ballait sur mon tee-shirt. Les deux garçons avaient été des complices. Celui qui se tenait derrière moi avait coupé la ficelle et volé ma bourse. Mon argent avait disparu.

CHAPITRE 9

J'étais dans un tel état de choc que mes muscles se figèrent et je restai là, cloué sur place, incapable de bouger. Je ne réussis même pas à ouvrir la bouche pour crier. Bien pire encore, j'avais perdu Grand-Père de vue. La foule l'avait englouti.

Ma paralysie se transforma en rage. Une rage absolue ! Je m'élançai et forçai le passage en jouant des coudes tout en appelant Grand-Père.

Je pestais de ne pas être assez grand pour voir au-delà de la foule. Je compris néanmoins qu'un incident se déroulait plus loin, car des voix furieuses s'élevèrent : « Hé, attention ! On ne pousse pas ! Ça suffit ! »

Je me faufilai dans la direction d'où venaient les cris, dans le fol espoir qu'on avait arrêté les voleurs. Je reçus alors un autre choc : quelqu'un appelait mon nom de l'autre côté de ma voisine.

— Solomon ! Par ici ! Solomon !

Je me penchai pour regarder. C'était Kebede. Il souriait de toutes ses dents, ma bourse d'argent dans sa main brandie.

J'eus l'impression d'avoir le souffle coupé, comme si j'avais reçu un coup à l'estomac. J'avais eu confiance en Kebede. Je l'aimais bien ! Mais ce n'était qu'un vulgaire voleur, un voleur qui m'avait dérobé mon argent. Et qui s'amusait à ridiculiser un paysan sorti de sa campagne.

Dans un effort éperdu, je passai devant la femme et me postai devant Kebede. Je lui arrachai ma bourse des mains et collai mon visage au sien.

— Sale voleur ! hurlai-je. Toi...

— Hé, du calme ! se défendit-il.

Il leva les mains et, s'il avait eu plus de place, il aurait reculé.

— Ce n'est pas moi qui ai volé ta bourse, me lança-t-il. Je vous attendais au bas de l'immeuble parce que je m'étais dit que ce serait drôle de regarder le défilé avec toi. J'ai remarqué les deux jeunes et j'ai aussitôt compris leur intention, mais le petit a sorti son couteau et coupé ta ficelle avant que je ne puisse intervenir. Le grand s'est enfui, mais le petit s'est trouvé pris par la foule. J'en ai profité pour le rattraper, lui décocher dans le ventre un bon coup qui l'a plié en deux, et j'ai récupéré ta bourse. Redonne-la-moi, que je la remette sur ta ficelle. Je ferai un nœud. Mais à partir de maintenant, garde-la bien sous ton tee-shirt.

J'étais si soulagé que je lui redonnai la bourse sans hésiter. Comme il me l'avait annoncé, il noua la ficelle et me la passa autour du cou. Je rougis d'embarras. Comment avais-je pu douter de Kebede ? Il ne voudrait plus être mon ami.

— Je suis vraiment désolé, finis-je par balbutier. Je pensais...

— Je sais ce que tu as pensé, m'interrompit-il. Oublie et suis-moi, il faut se dépêcher. Ils seront là dans une minute et je connais un endroit parfait d'où les regarder passer.

C'est alors que je repensai à Grand-Père. Mon sang se glaça.

— Je ne peux pas ! Je dois chercher mon grand-père ! Il va être fou de rage !

— Trop tard, déclara Kebede gaiement. Il est loin maintenant. Comment veux-tu rattraper qui que ce soit dans cette foule ? Tu le retrouveras une fois le cortège passé. Viens ! Ils sont presque là !

Il me saisit par le bras et, tout en me tirant derrière lui, fendit la masse des spectateurs pour me ramener à l'arrière, contre un grand bâtiment.

— On ne va rien voir d'ici... commençai-je à dire, avant de remarquer la gouttière qui courait le long du mur.

Je compris immédiatement. Kebede grimpait déjà. Parvenu au niveau de la première fenêtre, il prit son élan et d'une pirouette se retrouva assis sur le rebord.

— Solomon, dépêche-toi ! me cria-t-il, les jambes ballantes. Ils arrivent !

Je vais être honnête, je ne suis pas un génie de l'escalade. Nous avions peu d'arbres dans la région où nous vivions et les habitants coupaient les rares qui existaient pour les utiliser comme bois de chauffage ou, quand ils étaient hauts, comme piquets de clôture. J'escaladai pourtant cette gouttière comme si je l'avais fait toute ma vie. Kebede me tendit la main pour m'aider sur la dernière partie, puis se glissa sur le rebord de la fenêtre pour que je puisse m'asseoir à côté de lui.

J'oubliai Grand-Père de nouveau. En fait, j'oubliai tout tant mon cœur battait la chamade, d'enthousiasme, d'une fierté débordante d'être éthiopien, et d'un désir que je n'arrivais pas à définir. Nous vivions en direct un événement attendu par le pays entier. Les Jeux olympiques avaient encore une fois consacré le triomphe de nos coureurs, qui étaient enfin de retour chez nous. Et moi, Solomon, j'étais là pour les accueillir. Je n'avais jamais connu de plus beau moment dans ma vie.

De notre position au-dessus de la foule, nous voyions la chaussée, qui était encore vide, ainsi que toutes les personnes amassées sur les deux trottoirs et contenues par un cordon de policiers.

Soudain, il s'éleva dans l'air un tapage assourdissant, pareil au mugissement d'un troupeau d'animaux sauf qu'il provenait d'êtres humains, de milliers d'êtres humains qui s'étaient mis à pousser des acclamations. Puis ce bruit fut brusquement englouti par un autre bien plus fort, bien plus terrible, un vacarme fracassant qui m'effraya tant que, sans réfléchir, j'empoignai le bras de Kebede.

— N'aie pas peur ! hurla-t-il à mon oreille pour que je l'entende. Ce n'est qu'un hélicoptère. Tu le vois ?

Je levai les yeux et découvris un engin pareil à un oiseau géant qui planait au-dessus de nos têtes. Alors que je l'étudiais, une silhouette se pencha en dehors de l'appareil et jeta vers le sol des brassées de feuilles de papier. Telles de grosses plumes blanches, celles-ci descendirent en voletant jusqu'aux spectateurs, qui bondirent pour tenter de s'en saisir. Je n'avais jamais rien vu d'aussi étrange. J'étais si fasciné par la scène que j'en omettais de m'intéresser à la rue. C'est alors que l'hélicoptère donna l'impression de se coucher sur le flanc et, la seconde d'après, il avait viré de bord et disparu.

En contrebas, une forêt entière de drapeaux éthiopiens s'était dressée. Vert, jaune, rouge. Nos couleurs nationales occupaient tout l'espace, agitées dans les airs par le vent ou drapées sur les épaules des gens. Je tremblais de joie.

— Ce n'est pas formidable ? s'écria Kebede en me décochant un coup de coude d'une telle énergie que je manquai de tomber du rebord de notre fenêtre.

À cet instant, ils émergèrent au coin de la rue. Des groupes d'hommes. Qui couraient. Ils brandissaient des hampes au bout desquelles des drapeaux flottaient. Ils criaient encore plus fort que la foule qui les acclamait. Ils approchaient, approchaient, et bientôt, je pus les entendre.

— Ah oh ! scandaient-ils. Ah oh ! Ah oh ! Ah oh !

Leurs joues luisaient de transpiration.

L'ambiance était surchauffée. Les admirateurs hurlaient, applaudissaient, les femmes criaient à tue-tête : « Alalalala ! »

Il s'éleva alors un bruit strident de klaxons de voiture et de sirènes de police mêlé au vrombissement de moteurs, et plusieurs jeeps remplies de policiers et flanquées d'escortes de motards passèrent devant nous, leurs casques blancs étincelant au soleil.

Et soudain, ils apparurent ! Portés par les vagues de sons. Je les voyais ! Nos héros et héroïnes ! Nos champions éthiopiens !

Répartis dans trois voitures noires, ils se tenaient debout sur les banquettes arrière et seuls leur tête et leur torse émergeaient des toits ouvrants. Chacun d'eux portait le drapeau de l'Éthiopie sur le magnifique survêtement vert et jaune de l'équipe nationale. Des guirlandes de fleurs dorées pendaient à leur cou.

Tout le monde les ovationnait, sautait sur place, agitait les bras. C'est alors qu'un étrange événement se produisit. Le bruit sembla s'estomper. Mes yeux s'étaient fixés sur le ruban bleu au cou de la femme qui se tenait dans la première voiture. Sa médaille d'or brilla au soleil.

J'entendis la voix de Kebede comme dans un songe.

— C'est elle ! criait-il. C'est Derartu Tulu ! La femme la plus rapide du monde !

Tout parut se ralentir. Derartu Tulu tourna la tête et posa son regard sur moi. Le moment me donna l'impression de durer une éternité. Puis Derartu se détourna.

Il n'empêche. Elle m'avait regardée. Elle m'avait même souri !

Un frisson m'avait parcouru la peau et mes cheveux s'étaient dressés sur ma tête.

L'instant d'après, le cortège s'en était allé et la foule se déversa dans la rue, où elle s'égailla dans toutes les directions.

— Tu n'as pas trouvé ça formidable, Solomon ? me demanda Kebede, aux anges. Je nous ai trouvé une bonne place, pas vrai ?

Je l'écoutai à peine, car quelqu'un me tirait par le pied. Je baissai les yeux et rencontrai le regard noir d'un policier.

— Qu'est-ce que vous faites là-haut, tous les deux ? nous dit-il. Descendez tout de suite !

— Pardon, monsieur, répondit Kebede d'une voix docile. On n'a rien fait de mal. On voulait juste regarder le défilé.

D'un seul mouvement, il se tourna puis se laissa tomber. Les mains agrippées au rebord de la fenêtre, il laissa son corps se balancer un instant, puis sauta à terre.

Je restai pétrifié. J'avais eu une vision, qui m'avait littéralement foudroyé.

— Il fallait que je les voie, expliquai-je avec le plus grand sérieux à l'officier. Je devais voir l'effet que ça fait, parce qu'un jour, c'est moi qui serai dans ces voitures. Un jour, c'est moi qui remporterai la médaille d'or aux Jeux olympiques.

CHAPITRE 10

Kebede m'avait dit qu'il ne fallait jamais répondre aux policiers d'Addis Abeba. Qu'ils prenaient la mouche pour un rien. Néanmoins, la journée était si exceptionnelle que l'officier fit preuve de mansuétude. Mieux encore, il esquissa presque un sourire et, quand je fus aussi descendu de notre poste d'observation, il se contenta de nous punir d'une tape sur la tête et nous ordonna de filer.

L'enchantement suscité par le passage des athlètes s'estompa et l'inquiétude s'empara de moi une nouvelle fois. Je ne savais par où commencer pour retrouver Grand-Père.

Kebede était distrait. Le pouce levé, il souriait à un ami qui passait dans un minibus, le visage pressé contre la vitre. Lorsqu'il se retourna vers moi et découvrit mon expression, il me dit :

— Ne t'affole pas comme ça. Ton grand-père va s'en sortir. Il connaît le chemin. Toi par contre, tu n'es jamais venu à Addis, pas vrai ? C'est l'occasion rêvée. Je peux te faire visiter la ville. Tu diras à ton grand-père que tu t'es perdu en cours de route.

Je regardai Kebede, les yeux écarquillés. Il était vraiment libre et audacieux. Même Marcos n'était pas aussi téméraire. Durant un instant de folie, j'envisageai de le suivre, mais j'en aurais été incapable.

Malgré mon appréhension que Kebede ne me trouve lâche, je répondis :

— Il... Mon grand-père... ne se sent pas bien. Je suis censé veiller sur lui.

Kebede haussa les épaules et je craignis qu'il ne m'abandonne là. Mais il me sourit et reprit :

— D'accord, je te raccompagne. Je suis sûr que ton grand-père sera déjà rentré.

Nous arrivâmes à Piazza en un rien de temps. Kebede était si rapide que j'eus peine à le suivre. Il traversait les rues comme une flèche, entre les voitures et les camions, se faufilait dans la foule sur les trottoirs. À un moment, alors que je lui emboîtais le pas sur la chaussée, je crus bien passer sous les roues d'une fourgonnette sortie de nulle part.

Tout de suite après, je reconnus les alentours du magasin qui appartenait à l'oncle de Kebede et mon cœur se serra : il y avait un attroupement devant l'entrée. Mon instinct m'avertit qu'une mauvaise nouvelle nous attendait. Je ne me trompais pas.

Dès que l'oncle de Kebede nous aperçut sur le seuil de sa porte, il se précipita vers nous, me saisit par le bras et me poussa à l'intérieur. Il avait l'air contrarié.

— Où étais-tu passé, fiston ? Il a besoin de toi.

Puis il posa les yeux sur Kebede et fronça les sourcils avec colère.

— Et toi, espèce de vaurien ! Toujours en cavale, hein ?

Je cessai de l'écouter. Mes yeux s'étaient accoutumés à l'obscurité (le soleil au-dehors était éblouissant) et je venais de distinguer Grand-Père. Il était allongé sur trois chaises alignées l'une à côté de l'autre. Il ne bougeait pas. L'espace d'un horrible instant, je le crus mort. Deux femmes se tenaient près de lui. L'une lui éventait le visage. L'autre, qui lui frottait les mains, se tourna vers moi. Elle dut lire dans mes pensées, car elle me dit :

— Il a perdu connaissance, mais il est en train de revenir à lui. Dieu est bon !

La première me demanda :

— Où vit-il ? C'est ton grand-père, n'est-ce pas ? Tu vas devoir le ramener chez vous.

Je n'attendis pas une seconde de plus. Je tournai les talons et me précipitai hors du magasin. Cousin Wondu, lui qui avait tenté de voler la médaille de Grand-Père, était sans doute malhonnête et je ne devais certainement pas lui faire confiance, mais après tout, c'était un cousin, le propre neveu de Grand-Père, et la seule personne à qui je pouvais demander de l'aide.

Des ailes avaient dû me pousser aux pieds car j'arrivai devant la maison de Cousin Wondu avant même de m'être rendu compte que j'avais démarré. La porte métallique qui perçait le haut mur sur la rue était fermée et cadenassée. Je la martelai de toutes mes forces en hurlant :

— Cousin Wondu ! Cousine Meseret ! Je vous en prie ! Venez !

J'entendis enfin une clé dans la serrure et la porte s'ouvrit, juste un peu. L'œil méfiant de Cousin Wondu apparut dans l'entrebâillement.

— Solomon ? Que se passe-t-il ? Pourquoi tout ce bruit ?

— Je vous en prie ! S'il vous plaît...

Un sanglot m'étreignit la poitrine.

— Grand-Père est tombé malade. Il va très mal. Un magasin l'a recueilli pas loin d'ici. Je ne sais pas quoi faire !

Cousin Wondu eut l'air presque soulagé. Il s'attendait probablement à voir Grand-Père surgir, furieux d'avoir découvert sa trahison. Il ouvrit la porte en grand.

— Je lui avais bien dit de se reposer aujourd'hui ! De ne pas aller traîner en ville. Alors, comme ça, il n'est pas allé plus loin que Piazza ?

Je compris son stratagème. Il essayait de savoir si nous avions réussi à rencontrer Ato Alemu. Mais il était hors de question que je satisfasse sa curiosité. Je ne voulais pas qu'il en oublie d'aider Grand-Père.

— Je vous en prie, Cousin Wondu. Suivez-moi !

— Attends deux secondes, dit-il en me fermant la porte au nez.

Je restai dans la rue à sauter d'un pied sur l'autre pour m'occuper tant mon envie de tambouriner à la porte de nouveau était forte. Cousin Wondu revint au bout de quelques minutes.

— J'étais parti chercher ça, me dit-il en brandissant son téléphone portable. Pour le cas où il faudrait appeler un médecin.

Une fois de retour au magasin, j'aurais pu hurler de soulagement. Grand-Père était assis.

La tête appuyée contre le mur derrière lui, la bouche ouverte et les yeux fermés, il avait toujours extrêmement mauvaise mine, mais il était en vie.

— Mon oncle ? dit Cousin Wondu en posant la main sur l'épaule de Grand-Père. C'est moi, Wondu. Vous m'entendez ? Mon oncle, ça va ?

« Bien sûr que non ! avais-je envie de lui crier. Vous ne voyez donc pas qu'il est vraiment malade ? »

— À mon avis, il vient de faire une crise cardiaque, intervint l'oncle de Kebede. Il a vraiment l'air mal en point. Vous devriez l'emmener à l'hôpital. Il ne peut pas rester ici. Il doit s'allonger.

Je compris qu'il s'impatientait. J'imagine que ce genre d'attroupement n'aide pas les affaires d'un commerce. Mais c'était un homme bon et son expression indiquait malgré tout sa sollicitude.

Cousin Wondu ne lui répondit pas. Il se contenta de composer un numéro de téléphone, puis il sortit du magasin, son portable collé à l'oreille.

La tête de Grand-Père bascula sur le côté. De peur qu'il ne tombe de sa chaise, je m'assis près de lui pour lui servir d'appui.

— Grand-Père ! murmurai-je. C'est moi, Solomon.

J'aurais aimé ajouter : « Ne t'inquiète pas, tout va bien se passer. » Mais je me tus, car j'étais sûr qu'il m'aurait répondu : « Ne sois pas stupide, mon garçon. Seul Dieu sait ce qui arrivera, certainement pas toi. »

Aussi, je restai assis là, et j'attendis.

L'oncle de Kebede était repassé derrière son comptoir, où il pesait du sucre pour la femme qui avait massé la main de Grand-Père. L'autre inconnue s'en était allée, tout comme la foule, déçue que l'incident n'ait pas une conclusion plus dramatique. Quant aux nouveaux clients qui continuaient d'entrer, ils nous remarquèrent à peine dans le coin sombre où nous nous trouvions.

Grand-Père bougea le bras et je levai les yeux vers lui. Les siens s'étaient ouverts. Il tourna la tête vers moi et tenta de me parler. Je ne parvins pas à comprendre les mots qu'il prononçait. Il toussa faiblement et son front se plissa comme s'il souffrait. Mais il fit un nouvel essai.

— As-tu... parlé... à Wondu ?

— D'Ato Alemu et de la médaille ? Non, Grand-Père.

Il hocha légèrement la tête et je vis qu'il était content. Puis il regarda vers son torse.

— Prends-la.

Il me fallut un moment avant de comprendre.

— De quoi parles-tu ? De la médaille ? lui demandai-je.

Il émit un bref grognement et je compris que ma lenteur d'esprit l'avait agacé.

Passer la main sous le châle de mon grand-père et glisser les doigts dans sa poche me parut étrange et très audacieux, voire impertinent. Quoi qu'il en soit, je n'eus aucune difficulté à attraper la petite boîte, que je mis aussitôt dans la poche de mon short.

Mon grand-père laissa retomber sa tête en arrière et je perçus son soulagement. Néanmoins, il n'avait pas fini de s'exprimer.

— Repars à la maison. Maintenant. Et ramène ton père ici.

Incrédule, je le dévisageai.

— Mais Grand-Père, c'est impossible, je ne connais pas le chemin !

— Le bus... souffla-t-il d'une voix rauque. Direction Kidame. Va. Maintenant. Pour y être ce soir.

J'étais terrorisé. Où trouverais-je l'autobus ? Me laisserait-on le prendre seul ? Combien le trajet coûterait-il ?

Cousin Wondu revint. Sa voix était plus assurée qu'auparavant, comme s'il avait pris une décision.

— Je vous emmène à l'hôpital, mon oncle, annonça-t-il. Un taxi nous attend dehors. Ils vont vous trouver un lit et les médecins passeront vous voir. Vous irez mieux en un rien de temps. Solomon, aide-moi.

Hisser Grand-Père ne fut pas aisé et nous dûmes presque le porter à l'extérieur. Il s'effondra sur la banquette arrière du taxi. Son état semblait empirer ; visiblement, chaque respiration constituait pour lui un vrai combat.

Cousin Wondu se penchait pour indiquer la destination au chauffeur de taxi lorsque Cousine Meseret arriva en courant.

— Que se passe-t-il ? lança-t-elle d'un ton sec à Cousin Wondu. Qu'est-ce qui t'affole de cette façon ?

Comme elle ne m'avait pas vu, je m'écartai discrètement.

— C'est l'oncle Demissie, lui expliqua Cousin Wondu. Il se sent mal.

Il se tut un instant, avant d'ajouter :

— Tu as fini par trouver mon message.

— Oui, mais je dois repartir au travail. Ils n'aiment pas qu'on leur fasse faux bond en pleine journée.

Elle se baissa pour jeter un coup d'œil à Grand-Père.

— C'est vrai qu'il n'a pas l'air bien. A-t-il vu… Il est au courant ?

— Je ne crois pas, dit Cousin Wondu. Et j'espère qu'il ne l'apprendra jamais. J'en ai assez de tes manigances, Meseret. Je n'aurais jamais dû te laisser me convaincre.

— Moi ? s'exclama-t-elle, le regard noir. Tu m'accuses, moi ? C'était ton idée ! C'est toi qui as dit...

— Faux, c'est toi qui...

Je décidai d'intervenir en me plantant entre eux deux.

— Je vous en prie, hurlai-je, emmenez-le à l'hôpital !

— L'hôpital ? explosa Cousine Meseret. Qui va payer la facture ?

— Moi, répliqua Cousin Wondu. C'est mon oncle et, pour une fois, je vais faire ce qu'il faut. Viens, Solomon, monte de l'autre côté.

— Je... je ne peux pas, mon oncle, balbutiai-je en reculant. Grand-Père m'a demandé de repartir chez nous. Il veut que je prenne le bus jusqu'à Kidame, maintenant, pour aller chercher mon père.

Cousin Wondu consulta sa montre.

— Ce n'est pas une mauvaise idée. Mais il va falloir te dépêcher. Il n'y a qu'un bus pour Kidame l'après-midi. Il est peut-être même déjà parti.

— Je ne sais pas où aller le prendre ! m'écriai-je, totalement affolé. Où est l'arrêt ?

Quelqu'un tira sur ma manche. Je me tournai et découvris derrière moi Kebede.

— Je vais te montrer, me dit-il. Laisse-moi prévenir mon oncle.

Il se rua dans le magasin.

Cousin Wondu eut l'air rassuré. Il s'apprêtait à parler lorsque Grand-Père se mit à tousser, puis à gémir.

— Ne t'inquiète pas, Grand-Père, je m'en sortirai, murmurai-je. Kebede va m'aider. Je vous en prie, Cousin Wondu, emmenez-le à l'hôpital !

Grand-Père gémit une nouvelle fois. Cousin Wondu hésita un instant de plus, puis s'engouffra dans le taxi, qui s'éloigna à toute vitesse dans la rue.

Kebede réapparut sur le seuil de la porte, son oncle sur les talons. Le vieil homme grommelait.

— D'accord, tu l'accompagnes, mais...

— Je sais, le coupa Kebede, les yeux dansant de joie et un grand sourire aux lèvres. Je vais jusqu'à l'arrêt et je reviens aussitôt.

Il attendit que son oncle soit rentré s'occuper d'un client pour s'emparer de quelques bananes dans l'étalage en façade du magasin.

— Je meurs de faim, me dit-il. Je suis sûr que c'est pareil pour toi. Viens, Solomon. Si tu veux attraper ce bus, on va devoir se dépêcher.

CHAPITRE 11

Le trajet jusqu'à la gare routière se révéla assez long, mais heureusement, toutes les rues étaient en pente descendante. Fidèle à lui-même, Kebede se montra rapide comme l'éclair. De nouveau, il slaloma sur les trottoirs bondés, ainsi qu'entre les voitures et les camions qui envahissaient les artères que l'on devait traverser. Je savais que je l'aurais aisément battu sur une route droite et sans circulation, mais dans le tourbillon de la ville qui nécessitait de zigzaguer sans cesse, je peinais.

Je compris que nous arrivions aux abords de la gare au son du vrombissement des moteurs. Lorsque je découvris tous les autobus rouge et or alignés là, j'en restai bouche bée. Il y en avait par dizaines ! Certains venaient juste d'arriver et les passagers en descendaient, chargés de sacs et de bagages. D'autres, leurs portes encore fermées, étaient entourés de personnes attendant de pouvoir y monter.

Kebede fila vers un bâtiment au bout de la gare. Je m'efforçai de ne pas le perdre de vue. Le hall était noir de monde. Sans s'arrêter, Kebede entreprit de se frayer un chemin dans la cohue. Je le suivis au mieux, mais je n'étais décidément pas aussi agile que lui. J'écrasai un nombre incalculable de pieds sur mon passage et reçus maints coups de coude au visage.

Je n'aurais jamais été capable d'obtenir un billet sans Kebede. Il perça la foule sans hésitation et se rua vers le guichet, devant lequel il se planta sans prêter la moindre attention aux personnes qu'il venait de dépasser et qui tentaient de se débarrasser de lui.

— Kidame ! s'écria-t-il. Une place !

L'employé derrière le guichet lui dit quelque chose. Kebede se tourna vers moi et me souffla :

— Sors ton argent !

J'ouvris ma bourse et y pris aussitôt deux des précieux billets verts qui s'y trouvaient.

— Ce n'est pas assez ! poursuivit Kebede. Dépêche-toi !

Il me tendit les bananes qu'il avait toujours à la main et saisit ma bourse sur laquelle il tira pour me forcer à m'approcher de lui, puis il s'empara d'autres billets et se retourna vers le guichet.

Une seconde plus tard, j'avais le billet en main et Kebede remettait dans ma bourse les billets dont il n'avait pas eu besoin. Je lui redonnai les bananes et replaçai le petit sac de cuir sous mon tee-shirt. Cette fois, je n'oublierais pas de le garder là, en sécurité.

— Ton bus part dans dix minutes, m'informa Kebede alors que nous ressortions du bâtiment.

Apeuré, j'examinai tous les autobus qui nous entouraient.

— C'est lequel ? lui demandai-je. Et si je monte dans le mauvais ?

— Ne t'inquiète pas, me répondit Kebede. Suis-moi !

Là-dessus, il s'élança.

Mon autobus était garé à l'autre extrémité de la gare. Ses portes n'étaient pas encore ouvertes et je pris donc place dans la file d'attente.

— Tu as été formidable, dis-je à Kebede, me sentant soudain embarrassé. Je n'aurais jamais pu...

— C'était drôle, me coupa-t-il.

Je voyais bien qu'il se sentait aussi un peu gêné.

— L'argent que tu as dans ta bourse est tout ce que tu possèdes ? me demanda-t-il. Tu n'as rien d'autre ?

Il me regarda d'un air apparemment navré.

— On n'est pas pauvres, répliquai-je, piqué au vif. On a trois bonnes vaches, Lotie, notre ânesse qui a déjà eu deux petits, nos propres champs, et mon père paie tous mes frais d'école.

— Vraiment ? Tu vas à l'école ?

— Oui, pas toi ?

— Bien sûr que non. Je ne connais personne qui pourrait se permettre de me la payer.

— Même pas ton oncle ?

— Lui ? Non ! Ce n'est pas vraiment mon oncle. Juste une sorte de cousin.

— Où sont tes parents ?

Il haussa les épaules.

— Ils sont morts. L'an dernier.

— Oh.

Je ne savais que dire.

— Tu as de la chance d'aller à l'école, reprit Kebede.

Jusqu'alors, j'avais été un peu jaloux de lui. Il avait des chaussures aux pieds, il faisait preuve d'aplomb et il connaissait si bien la ville. Mais je venais de découvrir que c'était lui qui m'enviait.

D'une certaine façon, l'arrivée du chauffeur et du contrôleur de bus fut opportune, car ni Kebede ni moi ne savions plus quoi nous dire. Il me tendit deux des bananes qu'il avait apportées. Je me rendis compte à ce moment-là combien j'avais faim.

Je les acceptai donc de bon gré.

— Tu sais quoi, je suis vraiment désolé de devoir repartir chez moi après la journée qu'on a passée, déclarai-je. C'était formidable.

— Oui, c'est vrai. Ces athlètes... ils étaient fantastiques, pas vrai ?

Les portes du bus s'étaient ouvertes et la queue commençait à avancer.

— Je dois y aller, ajoutai-je alors que les personnes derrière moi me poussaient vers les marches.

— Ne t'inquiète pas pour ton grand-père, me lança Kebede qui s'était dressé sur la pointe des pieds pour que je le voie par-dessus les têtes des deux femmes qui me suivaient. L'hôpital s'occupera bien de lui. Je suis sûr qu'il se remettra.

J'éprouvai un brusque sentiment de culpabilité. J'avais été si occupé avec Kebede que j'en avais littéralement oublié Grand-Père.

— Kebede ! m'écriai-je en me retournant sur la première marche de l'autobus. Est-ce que tu pourrais me rendre service et repartir à la Pâtisserie du bonheur ? Un homme du nom d'Ato Alemu travaille au quatrième étage dans l'immeuble qui se trouve à côté. Son entreprise s'appelle la « Compagnie des Sports Éthiopiens ». Préviens-le que mon grand-père est à l'hôpital.

— Tu montes, oui ou non ? s'agaça la femme derrière moi.

Elle me poussa si rudement vers la marche suivante que je manquai de trébucher. Je ne savais pas si Kebede m'avait entendu. Une fois parvenu à l'arrière du bus et après m'être assuré une place assise, je regardai enfin par la vitre. Kebede avait disparu. Au loin, je remarquai un garçon qui contournait les autobus avec l'aisance et la rapidité d'un poisson, mais je ne réussis pas à déterminer si c'était lui.

CHAPITRE 12

Tel un vieux taureau fou, l'autobus mugit et s'élança par embardées vers les rues engorgées où il fut vite empêché d'avancer par des ânes, des piétons, des voitures, des camions ou des bicyclettes.

Je pris enfin le temps d'observer les autres passagers autour de moi et reconnus quelques visages familiers. Après cette journée à Addis Abeba, j'étais encore plus conscient du fait que Kidame ne constituait qu'une minuscule communauté. Il paraissait donc normal que je connaisse au moins de vue certains des voyageurs qui y retournaient.

Une femme, une petite fille et un garçonnet se partageaient les deux places à mon niveau de l'autre côté de l'allée. Les enfants étaient nettement plus jeunes que moi et ils détournèrent leur visage d'un air timide lorsque je leur souris. En revanche, ils rivèrent leurs yeux dans ma direction quand ils se rendirent compte que j'entamais une banane. Je la mangeai entièrement et commençai à peler la deuxième car j'avais très faim, mais leur regard envieux me mit mal à l'aise. Il ne me fallut pas longtemps pour trouver la solution à mon dilemme.

— Tenez, leur dis-je en leur tendant la banane à travers l'allée.

Sans prononcer un mot, ils me sourirent à leur tour et je me sentis empli de fierté. La fillette finit de peler la banane et en donna la moitié à son frère.

Ils avaient presque fini de déguster leur part respective lorsque leur mère, qui avait gardé le nez collé à la vitre depuis le départ de l'autobus, se tourna et découvrit ce qu'ils faisaient.

— Où est-ce que vous avez trouvé ça ? leur demanda-t-elle sèchement.

La fillette pointa le doigt dans ma direction.

— Oh ! s'exclama-t-elle avec un sourire suivi d'un hochement de tête. Merci, c'est gentil de ta part.

Elle se baissa vers le sac qu'elle tenait entre ses pieds et en sortit un ballot. Elle le posa sur ses genoux, dénoua le torchon qui l'entourait et souleva le couvercle d'une boîte en plastique qui se trouvait à l'intérieur. Il s'en échappa une odeur de plat cuisiné fait maison qui me mit l'eau à la bouche.

La femme me tendit la boîte.

— Sers-toi.

C'était des *injéras* aux lentilles épicées. J'en pris un petit morceau. Que c'était délicieux, et nourrissant !

— Vas-y, me lança la femme en agitant la boîte pour attirer mon attention. Tu n'as rien pris. Ressers-toi. Tu peux même tout finir si tu veux. Un jeune comme toi... Tu dois avoir faim. Les garçons ont toujours faim. Et puis, de toute façon, il m'en reste des tonnes.

Je ne me fis pas prier et acceptai la boîte poliment. J'en engloutis le contenu en une minute, sans pouvoir m'arrêter. La femme s'esclaffa quand je la lui rendis vide et elle m'offrit un verre d'eau. J'avais gagné au change avec ma vieille banane tachetée.

— Je te connais, non ? reprit la femme après avoir rangé la boîte dans son ballot et celui-ci dans son sac. Tu ne vas pas à l'école de Kidame par hasard ?

— Si, répondis-je, soudain sur mes gardes.

La femme m'observait avec curiosité et je compris qu'elle s'apprêtait à me poser tout un chapelet de questions : qui étaient mes parents, pourquoi j'étais seul dans un autobus qui venait d'Addis Abeba, ce que j'y avais fait, qui j'y avais vu.

Pourquoi ne voulais-je pas satisfaire sa curiosité ? Je n'en sais rien. Peut-être l'habitude qu'avait mon grand-père de garder des secrets avait-elle déteint sur moi. Toujours est-il que je m'armai de courage pour esquiver le questionnaire. C'est alors que l'autobus fit une embardée. Il y eut un bruit sec dans le moteur, qui cessa de vrombir. Nous continuâmes d'avancer en roue libre quelques instants, avant de nous immobiliser. D'abord, tout le monde se tut, puis se mit à parler en même temps.

« Oh, non ! Une panne ? Combien d'heures va-t-on rester coincés ? »

Le contrôleur, qui était assis juste derrière le chauffeur, se leva pour s'adresser à ce dernier et tous deux descendirent. Ils restèrent devant la porte pendant que le chauffeur appelait un numéro sur son téléphone portable.

Le contrôleur finit par remonter et l'ensemble des passagers fit silence pour l'écouter.

— Je suis persuadé que ce n'est qu'une panne momentanée, déclara-t-il d'un ton apaisant. Mon collègue vient d'appeler un mécanicien qui sera ici sous peu. Ne vous inquiétez pas, tout sera vite réparé et nous pourrons reprendre notre route.

Une plainte générale s'éleva.

— C'est une honte ! lança quelqu'un. Étant donné le prix des billets, ces vieux bus devraient être retirés de la circulation.

Je me levai pour suivre les personnes qui avaient décidé de descendre. D'une certaine façon, je n'étais pas mécontent de pouvoir prendre l'air. On était serrés et il faisait chaud dans l'autobus.

Je tentai d'évaluer la situation sur la base de ce qui se disait autour de moi.

— Le mécanicien ne sera pas là avant plusieurs heures, affirma une femme. Et que se passera-t-il s'il ne parvient pas à réparer le moteur ? Il faudra qu'ils envoient un bus de substitution.

— À mon avis, ils ne feront rien avant demain matin, répondit une autre. Ils vont nous demander de repartir en ville en attendant.

Je ressentis un coup au cœur.

« Demain ! pensai-je. Je ne peux pas attendre jusqu'à demain. Grand-Père ne sera peut-être même plus en vie. »

Je regardai alentour pour essayer de déterminer où nous nous trouvions. Nous avions voyagé assez longtemps et quitté la périphérie de la ville. La route se déroulait tout droit à travers champs, entre lesquels elle s'élevait parfois par-dessus des coteaux pour disparaître ensuite dans des creux, mais sans jamais se détourner de Kidame, et de notre maison. Elle semblait m'inviter. Je plissai les yeux vers le soleil. Nous avions bien quatre heures devant nous avant son coucher.

« Cours, dit une voix dans ma tête. Tu peux y arriver. Il doit rester une trentaine de kilomètres, c'est moins qu'un marathon. Fais-le. »

Je m'éloignai de l'autobus de quelques pas hésitants. Je serais seul. Des voleurs rôdaient peut-être. Ou des chiens sauvages. Et toutes sortes de dangers que je ne pouvais même pas imaginer.

— Où vas-tu ? s'enquit la femme qui m'avait offert à manger.

C'est elle qui me convainquit. Je ne voulais pas me soumettre à ses questions indiscrètes. Je serais à l'air frais. Seul. Et occupé à faire ce que je maîtrisais le mieux : courir.

— Je rentre chez moi ! lui criai-je par-dessus mon épaule. Merci pour la nourriture !

Comme si j'étais devenu la Flèche, je m'élançai. J'entendis des cris derrière moi. Les voyageurs me demandaient de revenir, d'être raisonnable, d'attendre comme tout le monde. Je ne les écoutai pas. J'étais déjà ailleurs.

CHAPITRE 13

Je sais aujourd'hui des choses que je ne savais pas à l'époque.

Ce jour-là, j'appris la plus importante de toutes : courir ne dépend pas que de vos jambes et de vos bras. Certes, ce sont eux qui font le travail (vos jambes surtout), mais ce qui compte réellement, c'est ce qui se passe dans votre tête.

Il faut entraîner son esprit à ne pas s'inquiéter de la fatigue ressentie et à oublier les pieds meurtris, les jambes douloureuses ainsi que la sensation de manque d'air dans les poumons.

Je n'avais pas encore appris à me ménager et je démarrai beaucoup trop vite. Comme pourchassé par un lion, je pris mes jambes à mon cou et m'enfuis loin du bus et des voyageurs ébahis. Bien sûr, je finis par devoir ralentir, à cause d'un point de côté et parce que je haletais tant que je pouvais à peine respirer. C'est à ce moment-là que je commençai à réfléchir. Par chance, je n'étais pas seul dans ma tête. Grand-Père m'y tenait compagnie.

Je l'entendis qui me disait : « Calme-toi ! Tu n'es poursuivi ni par une guêpe ni par un lion. Garde le même rythme. Lent et régulier. »

« Lent et régulier. Lent et régulier. Lent et régulier. »

Les mots, devenus un leitmotiv, scandèrent une allure que mes pieds finirent par suivre. Une fois cette vitesse de croisière établie, j'entrepris de me divertir par des jeux de calcul.

D'abord, je décidai de compter mes pas jusqu'en haut du coteau qui se présentait à moi.

Un, deux, trois, quatre...

Parvenu en haut, je comptai mes pas jusqu'au pont qui traversait le ruisseau en contrebas.

... cinquante-neuf, soixante, soixante et un...

Mais il est impossible de compter indéfiniment. Au bout d'un moment, l'ennui m'envahit et je me déconcentrai. L'inquiétude resurgit.

« Et si Grand-Père ne survit pas ? m'alarmai-je. Je l'ai laissé tout seul à Addis Abeba. Et si l'hôpital ne l'accepte pas ? J'aurais dû repartir en ville avec les autres. J'ai été fou de croire que je réussirais à courir si longtemps. Je ne sais même pas quelle distance il me reste à parcourir. »

Mes jambes devinrent lourdes et je perdis mon allure.

Derrière moi, un camion lancé à grande vitesse me rattrapa, m'obligeant à quitter la chaussée pour le bord de la route, où je craignis de me couper les pieds sur les pierres acérées.

Un horrible effroi me comprima la poitrine. En cet instant où j'avais de nouveau tant besoin de lui, Grand-Père réapparut dans ma tête. Lui n'avait pas cédé à l'affolement. Pour se sauver, il avait sauté d'un camion sur le dos d'un cheval.

Il prononça les mêmes mots que la première fois : « Lent et régulier, Solomon. Lent et régulier. »

Je retrouvai mon rythme. Je courais de nouveau comme il le fallait. Je me forçai alors à reprendre mes jeux de calcul. Toutefois, je ne comptai pas mes pas, mais tout ce que je voyais : les poteaux télégraphiques le long de la route, les oiseaux perchés sur les fils électriques, les fermes à flanc de colline, les arbres qui délimitaient la parcelle de terrain autour d'une église.

Il y avait peu de circulation. Les camions et voitures étaient rares. Quant aux fermiers sur leur âne ou aux enfants revenant de l'école, je les dépassais aisément. Quelques personnes me saluèrent et voulurent me poser des questions, mais dans l'ensemble, on me laissa tranquille, ce qui me convint parfaitement. Je ne voulais pas risquer de dérégler mon souffle en leur répondant.

J'avais l'impression d'avoir déjà couru des heures, toujours tout droit, sur cette route qui montait et descendait encore et encore, lorsque j'entendis derrière moi un vrombissement familier. Je jetai un coup d'œil par-dessus mon épaule. Le bus arrivait ! J'agitai frénétiquement les bras.

— Arrêtez-vous ! hurlai-je. C'est moi ! J'ai payé mon billet !

Le chauffeur ne me reconnut pas. Il klaxonna bruyamment pour que je me pousse de son chemin et me dépassa en trombe. Je vis derrière les vitres les voyageurs se retourner et je crus qu'ils demanderaient au chauffeur de s'arrêter. Mais l'autobus poursuivit sa route.

Ce fut le pire moment de ma journée. Je me sentais si stupide, j'étais si épuisé et si désespéré, que je faillis m'asseoir sur le bas-côté pour mettre ma tête entre mes genoux et pleurer.

— Espèce d'idiot ! m'écriai-je. Comment puis-je être aussi bête ! Pourquoi est-ce que j'ai décidé de quitter ce bus ?

Après cet incident, poursuivre ma course me demanda beaucoup plus d'énergie et de courage. J'avais le sentiment d'avoir des blocs de bois à la place des jambes, je souffrais des pieds et la soif me tenaillait. Je dus me forcer pour continuer à courir.

Un, deux, trois... J'eus beau essayer de compter mes pas, la magie de mes petits jeux s'était envolée.

« Idiot ! Idiot ! Idiot ! »

À ce stade, je ne trouvai que ce rythme-là pour poursuivre mon effort, et encore ne fut-il pas d'une très grande aide.

Alors que je pensais devoir abandonner, j'atteignis le haut d'une éminence et eus la surprise de découvrir en contrebas l'autobus arrêté. Il était garé sur le bord de la route et les passagers en étaient descendus. Le capot à l'arrière était relevé et un homme examinait le moteur de près.

« Oui ! Il est retombé en panne ! exultai-je. En fait, mon idée n'était pas stupide ! »

Quand les passagers me virent approcher, plusieurs s'adressèrent à moi :

— Hé, tu es le garçon qui a décidé de rentrer en courant !

— Bravo !

— On a prévenu le chauffeur quand on t'a dépassé, mais il a refusé de s'arrêter.

Quelqu'un me tendit une bouteille d'eau.

— Bois un peu, tu le mérites bien !

Je saisis la bouteille et avalai l'eau d'un trait. Qu'elle était bonne ! Elle se répandit dans tout mon corps et me donna un sursaut d'énergie.

Le chauffeur se dirigea vers moi. Il souriait.

— Tu peux remonter si tu veux, me dit-il. Je sais que tu as payé jusqu'à Kidame.

— Dans combien de temps pensez-vous redémarrer ? lui demandai-je, encore haletant.

Il haussa les épaules.

— Qui sait ? Le mécanicien fait de son mieux.

— Combien de kilomètres reste-t-il jusqu'à Kidame ?

— Cinq à six, pas plus. Tu as déjà fait la plus grande partie du chemin.

— Alors je continue, décidai-je. Je vous parie que j'arriverai avant vous !

Et je repris ma course sous les acclamations.

— Bonne chance ! me lança-t-on. *Gobez !* Sois fort et cours vite !

Je fus fort ! Et je courus vite ! Je ne sais si c'était grâce à l'eau, aux encouragements, ou parce que je savais désormais quelle distance il me restait à parcourir, mais je me sentais différent. Je retrouvai mon rythme. Mon calme d'esprit. Je concentrai toute mon attention sur mon allure, et mes jambes, telles des roues bien huilées, avalèrent les kilomètres qui restaient. Je courais comme un champion, j'en étais persuadé.

Alors que j'apercevais enfin Kidame, à moins d'un kilomètre de distance, j'entendis derrière moi le vrombissement familier.

« Je ne les laisserai pas me dépasser ! me dis-je. Je vais battre le bus. Je vais y arriver ! Je vais y arriver ! »

Je n'aurais pas réussi cet exploit sans un fermier qui poussait sa charrette à bras. Je l'avais à peine dépassé qu'un camion derrière moi fit un écart pour l'éviter. Apeuré par le bruit, le fermier perdit le contrôle de la situation. Sa charrette se renversa et tous ses sacs s'éparpillèrent sur le goudron.

Je jetai un rapide coup d'œil par-dessus mon épaule, juste le temps de voir que le fermier rassemblait frénétiquement son chargement, que l'avant du camion avait piqué dans le fossé tandis que sa partie arrière bloquait la route, et que l'autobus, éclair rouge en mouvement, approchait à tombeau ouvert en klaxonnant bruyamment.

« Il va leur falloir un temps fou pour passer », me dis-je. Cette pensée fit monter en moi une source vive d'énergie jaillie du plus profond de mon être, et je sprintai.

Je réussis mon pari ! Je surgis dans la rue principale de Kidame avant l'autobus. Malheureusement, je trébuchai sur un bâton oublié par quelqu'un sur le bord de la route et m'effondrai. Je finis à terre, étendu de tout mon long et le cœur battant.

CHAPITRE 14

La vie est très calme à Kidame et il suffit de peu pour faire sensation, ce que ma chute accomplit à la perfection. Les habitants de la ville ont pour habitude d'attendre l'arrivée de l'autobus pour le cas où il apporterait des nouvelles ou qu'une personne d'intérêt en descendrait. Comme à l'accoutumée, il y avait donc un petit attroupement dans la rue.

Je me trouvais là, visage contre terre, à me demander si je m'étais brisé des os et si je retrouverais jamais la force de me relever, lorsque je me rendis compte que deux garçons de mon école se tenaient près de moi.

— Solomon ? Qu'est-ce que tu fabriques ? Marcos nous a dit que tu étais allé à Addis. Qu'est-ce qu'il t'arrive ? Tu ne peux plus te lever ?

Je crois que je réussis à marmonner quelques mots, puis j'entrepris de me mettre debout. Ils furent obligés de m'aider. J'avais la tête qui tournait, le souffle à moitié coupé et tout mon corps souffrait d'épuisement. Je n'avais qu'une envie : me laisser retomber et ne plus bouger. Mais je savais que je devais finir ma route pour arriver chez moi le plus vite possible. Or il me restait encore huit kilomètres à couvrir.

Un autre garçon accourut.

— Je viens d'apprendre la nouvelle ! Il a couru d'Addis jusqu'ici et il est allé plus vite que le bus ! Tout le monde en parle.

Des curieux venus de tous côtés s'attroupèrent autour de moi, posèrent des questions. Je devais leur échapper. Il ferait bientôt nuit et il fallait que je rentre. J'avais fini par retrouver mon souffle.

— Je n'ai pas vraiment battu le bus, rectifiai-je. Sauf sur la dernière partie du trajet. Avant ça, il est tombé en panne deux fois. Vous pouvez vérifier avec les passagers.

D'un geste du menton, j'indiquai ces derniers, qui étaient toujours occupés à récupérer leurs sacs et leurs bagages. Lorsque tout le monde eut la tête tournée, je puisai quelque part en moi la force de m'élancer et de filer comme une flèche vers la sortie de la ville, où je tournai sur la piste qui menait jusque chez moi.

— Solomon, attends ! Qu'est-ce qu'il y a ?

Je reconnus la voix de Marcos.

— Pas le temps de te raconter maintenant ! criai-je par-dessus mon épaule. Je dois rentrer chez moi !

Il m'aurait poursuivi s'il en avait été capable, mais en dépit de mon état d'exténuation, il n'avait aucun espoir de me rattraper. Et il le savait. Pendant qu'il continuait à me poser des questions de loin, j'arrivai au bas de la colline où je touchai la grosse pierre avant de gravir la pente de l'autre côté du carrefour.

Tout ce que j'avais fait et vu à Addis Abeba s'effaça de ma mémoire. Ma rencontre avec Kebede, l'argent volé et la façon dont il l'avait récupéré, la Pâtisserie du bonheur, l'histoire de la Balle et de la Flèche, la tromperie de Cousin Wondu, le cortège des athlètes, le malaise de Grand-Père... tout me semblait flou maintenant. Tout sauf le visage de mon grand-père, et sa voix, qui s'éleva dans ma tête : « Cours, mon garçon. Garde le rythme. Lent et régulier. Cours. »

Les trois derniers kilomètres furent un vrai calvaire. Mes pieds étaient meurtris et blessés, mes jambes tremblaient d'épuisement et ma poitrine se soulevait douloureusement chaque fois que j'inspirais.

La vue de notre maison, dont je reconnus bientôt les murs ronds et la porte en bois de guingois, me remplit d'une joie que je n'avais encore jamais éprouvée. Le soir était déjà bien avancé et il faisait presque nuit. Je sentis plus que je ne vis la fumée qui s'échappait en volutes, par le toit en chaume, du feu sur lequel Ma cuisinait.

Alors que je m'approchais, la porte pivota sur la lanière de cuir qui lui servait de gond et Ma apparut chargée d'une cuvette. Elle jeta l'eau que celle-ci contenait, qui décrivit dans l'air une gerbe scintillante, puis elle leva les yeux et m'aperçut.

— Qui est là ? lança-t-elle d'une voix inquiète. Solomon, c'est toi ? Où est ton grand-père ?

J'étais si soulagé d'être enfin arrivé que je ne cacherai pas m'être effondré en larmes. J'entrai en titubant dans la maison avant de m'écrouler près du feu, sans vraiment réussir à contrôler mes pleurs. Je parvins à balbutier que Grand-Père était à l'hôpital, que c'était lui qui m'avait demandé de venir chercher Abba, et que j'avais effectué le trajet en courant car l'autobus était tombé en panne.

Mes parents m'observèrent, bouche bée, et Konjit en oublia même de jouer avec ses cheveux.

— Tu as laissé ton grand-père seul, malade, à Addis Abeba ? finit par dire Abba d'une voix blanche.

Il frappait sa main gauche avec la droite, comme chaque fois qu'il était contrarié.

— Je ne voulais pas ! m'écriai-je. C'est lui qui m'y a obligé !

— Et tu as couru ? Jusqu'ici ? Tout seul ? demanda ma mère.

Elle m'aida à m'asseoir sur un tabouret, puis alla prendre la cuvette maintenant remplie d'eau fraîche pour me laver les pieds. Elle ne l'avait jamais fait auparavant. Ce bain inattendu me détendit délicieusement.

— Je dois y aller sans attendre, décida Abba qui s'était assis de l'autre côté du feu.

Il sauta de son tabouret, comme s'il s'apprêtait à quitter la maison dans la seconde. Konjit le tira par la main.

— Abba, il fait nuit. Tout est sombre dehors. Personne ne sort à cette heure-là. Les hyènes vont te manger ! s'exclama-t-elle alors d'une voix stridente, comme chaque fois qu'elle s'affolait.

— Je partirai à l'aube, lui répondit Abba. Solomon, tu vas devoir m'accompagner. Sans toi, je ne saurai pas où trouver ton grand-père.

Ses mots me firent l'effet d'une gifle. J'étais si fourbu que j'avais l'impression de ne plus jamais pouvoir marcher. L'idée de repartir jusqu'à Addis m'épouvanta.

— Il ne pourra pas refaire le même chemin demain, intervint Ma. Regarde ses pieds.

Elle en souleva un pour le lui montrer. Quand elle l'eut reposé, je l'examinai moi-même. Il était enflé, et mon gros orteil abîmé par une vilaine entaille. Je ne m'en étais même pas rendu compte.

— Il est obligé de venir, que ça lui plaise ou non, répliqua Abba. Je le mettrai sur Lotie jusqu'à Kidame, et de là, on prendra le bus. Maintenant, femme, donne-lui à manger et laisse-le dormir. Le premier bus part à six heures trente et aller jusqu'à l'arrêt dans le noir nous prendra plus de temps qu'en pleine journée. On va devoir quitter la maison à quatre heures et demie au plus tard si on veut arriver à Kidame assez tôt pour avoir une place assise.

Ce soir-là, Ma me gâta. Elle massa mes jambes endolories, me nourrit à l'excès et me versa verre après verre de thé agrémenté de cuillerées de sucre qui provenait de ses rares réserves.

— Solomon, à quoi ressemble Abbis Adada ? me demanda Konjit. Tu y as vu des lions ?

— Que tu es bête, on dit Addis Abeba, lui répondis-je. C'est une grande ville. On y trouve beaucoup de...

Un bâillement à m'en déboîter la mâchoire m'interrompit.

— Pas maintenant, souffla Ma à Konjit. Laisse-le dormir.

Je tombai instantanément dans un profond sommeil.

CHAPITRE 15

Je dormais toujours à poings fermés quand Ma me secoua doucement. Elle avait déjà soufflé sur les braises pour raviver le feu et le thé était prêt. Je me redressai en gémissant. Tous les muscles de mon corps étaient raides et j'avais l'impression que même mes os me faisaient mal.

Abba était déjà dehors. Il parlait doucement à Lotie. Les ânes aiment bien la voix de l'homme. Elle les rassure.

Bientôt, Abba passa la tête par la porte.

— Il n'est toujours pas debout ? lâcha-t-il. On doit partir ! Il est presque quatre heures et demie.

Encore somnolent, je me levai difficilement. Dans nos régions isolées, les pyjamas n'existent pas. Je n'avais donc pas besoin de m'habiller. Ma plaça mon châle sur mes épaules et me donna une tasse de thé.

— Bois vite, Solomon, me dit-elle. Ton père s'impatiente.

Je me brûlai presque la bouche, mais la sensation fut bénéfique. Elle me réveilla d'un coup et ma première pensée fut : « Je ne peux pas repartir à Addis aujourd'hui ! Je suis trop fatigué. »

Je me dis ensuite : « Je serai sur Lotie. Abba ne m'a jamais permis de la monter aussi loin. Et après, on prendra le bus. »

Cette idée me rappela Kebede. « Je vais peut-être le revoir », espérai-je, avant de songer : « Grand-Père ! Il est peut-être déjà mort ! »

J'eus honte de constater que mon esprit avait placé mon grand-père en dernier sur ma liste, surtout lorsque je me rendis compte, malgré la nuit noire à l'extérieur, à quel point Abba s'inquiétait à son sujet. Pour lui, Grand-Père était une priorité. Rien d'autre ne comptait davantage que lui. Je n'avais jamais vu Abba si agité.

— Tu veux y passer la journée ? aboya-t-il à mon intention alors que je m'approchais en boitillant et que je me hissais lentement sur Lotie. Tu veux vraiment qu'on rate le bus ?

Ma me tendit un morceau d'*injéra*.

— Garde-le pour la route, me dit-elle. Que Dieu t'accompagne. Prends soin de toi !

Le jour ne poindrait pas avant une heure au moins. Par chance, la lune n'était pas encore couchée. Elle n'était pas pleine, mais même une demi-lune donne plus de lumière que pas de lune du tout. Je croyais connaître chaque millimètre du chemin jusqu'à Kidame. Or je ne l'avais jamais emprunté la nuit et je fus vite gagné par la peur que Lotie ne bute sur une pierre ou ne tombe dans des buissons d'épineux. J'aurais dû lui faire confiance. Elle connaissait la route mieux qu'Abba et moi.

Elle démarra lentement, le temps de s'habituer à l'obscurité. Son allure agaça Abba, qui fit claquer sa langue sèchement derrière moi. La première partie du trajet était pentue et rocailleuse, et le chemin si étroit qu'il fallait rester en file indienne. Dès que nous atteignîmes la seconde moitié, plus large et plane, Lotie s'élança d'un bon pas. Son petit galop me secoua comme un cocotier et Abba dut accélérer pour ne pas se laisser distancer. Il choisit ce moment pour me parler.

— Bien, redis-moi tout, me lança-t-il. Depuis le début. Que s'est-il passé exactement ?

Je repris donc la liste des événements. Notre arrivée à la maison de Cousin Wondu et son mécontentement de nous voir. La rencontre avec Ato Alemu et le récit qu'avait fait ce dernier sur la Balle et la Flèche, ainsi que sur le jour où Grand-Père avait sauté du camion sur le dos de ce cheval.

— Abba, est-ce que c'est vrai ? demandai-je.

— Je n'ai jamais entendu cette histoire mais, connaissant ton grand-père, ça ne m'étonnerait pas.

— Pourquoi ne te l'a-t-il jamais racontée ? Si j'étais lui, j'aurais voulu que tout le monde soit au courant !

Abba réfléchit un instant.

— Je savais qu'il avait eu des ennuis qui l'obligeaient à rester caché dans des endroits isolés. À l'époque, après la révolution, personne ne se faisait confiance. Moi, je n'étais qu'un gamin. S'il m'avait dit la vérité, j'en aurais probablement parlé à tout le monde. J'imagine qu'avec les années, taire son passé est devenu une habitude. Je me demande ce qui l'a fait changer ces derniers temps. Sais-tu pourquoi il a voulu voir cet Ato Alemu ?

Je lui rapportai alors l'existence de la médaille et la façon dont Cousin Wondu avait tenté de se l'approprier.

— Ce Wondu ! s'exclama mon père avec amertume. Il a toujours été faible et bête. Grand-Père lui a donné une belle leçon, je le reconnais bien là !

Il s'interrompit, se frotta le nez, puis reprit :

— Cette médaille... elle a de la valeur ? Est-ce qu'ils ont évoqué un prix ?

Les étoiles s'éteignaient l'une après l'autre et le ciel noir se teinta de gris. À l'est, une bande rose apparut sur l'horizon. Elle gagna en intensité au fur et à mesure que le soleil se levait derrière les collines au loin. Il devint plus aisé de discerner le chemin.

Je n'avais pas envie de répondre à la question d'Abba. J'en avais trop bien compris le sens. Comme Cousin Wondu, il voyait la médaille comme une source d'argent potentielle et il pensait à tout ce dont il avait besoin : une nouvelle charrue, une autre vache, un uniforme scolaire pour Konjit. Je me félicitai d'avoir retiré la médaille de ma bourse avant de quitter la maison et de l'avoir cachée dans le coin de l'étagère sur laquelle Ma rangeait son pot de café.

Désireux de détourner mon père de ses pensées, je me hâtai de lui parler des athlètes et de ce que j'avais ressenti en les voyant passer. Je ne mentionnai Kebede que brièvement. J'avais le sentiment qu'Abba n'aurait pas une très bonne opinion de lui. Sans compter que je répugnais à l'idée d'admettre que j'avais perdu Grand-Père de vue et que je ne l'avais retrouvé qu'après son malaise et que des inconnus se soient occupés de lui.

— Dans quel hôpital l'ont-ils emmené ? me demanda Abba quand je me tus enfin.

J'éprouvai un véritable soulagement. J'avais craint qu'il ne m'accuse encore d'avoir abandonné Grand-Père.

— Je ne sais pas, répondis-je.

— Alors comment veux-tu qu'on le retrouve ? aboya Abba.

Ma réponse avait réveillé son angoisse.

— Cousin Wondu pourra nous le dire, tentai-je de le rassurer. C'est lui qui l'y a accompagné et je sais où est située sa maison. Même s'il espère toujours nous voler, il nous aidera, tu ne crois pas ?

Je m'étais préparé à guider Abba. J'avais refait mentalement le trajet de la gare routière à Piazza (j'étais presque certain de m'en souvenir correctement), d'où je le conduirais jusqu'à la maison de Cousin Wondu. Il me tardait d'entamer cette dernière phase de mon travail : elle me donnerait l'occasion de prouver que je savais m'orienter dans notre capitale.

Mon père leva un œil inquiet vers le ciel. Le soleil venait de pointer derrière les collines au loin. À elle seule, sa frange flamboyante avait inondé le monde de lumière. Dans quelques minutes, l'astre se détacherait de l'horizon et le jour se lèverait pour de bon.

— On est en retard, déclara Abba. Si on ne se dépêche pas, le bus sera plein et on ne pourra pas le prendre.

— Que va-t-on faire de Lotie ?

— Le vieux Ahmed s'en occupera. Il ferait n'importe quoi pour un peu d'argent.

Tout le monde connaissait le vieux Ahmed à Kidame. Il restait assis au bord de la route toute la journée en attendant que quelqu'un lui propose une activité.

— Solomon, descends de Lotie, reprit alors Abba. Elle est fatiguée et elle ralentit. Que tu aies mal aux pieds ou non, on va devoir courir jusqu'à Kidame.

Les premiers pas me mirent à l'agonie, mais le mouvement forcé de la course vint bientôt à bout de la raideur de mes muscles et j'oubliai mes pieds meurtris. Abba m'avait transmis son angoisse. Nous devions rejoindre Grand-Père le jour même ! Nous devions atteindre Addis ! Nous devions prendre cet autobus !

Nous arrivâmes tout juste à temps. L'autobus était là, portes ouvertes, et les passagers avaient déjà commencé à y monter. Il ne restait plus que trois sièges, tout au fond.

— Ahmed ! hurla Abba au vieil homme qui était assis sur une pierre devant le bar. Surveille mon ânesse, d'accord ? Je dois aller à Addis.

— Addis... répéta le vieil Ahmed en feignant de grommeler. Tout le monde veut toujours aller à Addis.

Néanmoins, c'est avec un plaisir évident qu'il saisit la bride de Lotie et qu'il s'éloigna avec elle.

J'avais le pied sur la première marche de l'autobus et, derrière moi, Abba me pressait d'avancer, lorsque j'entendis mon nom.

— Solomon !

Je fis la sourde oreille.

« Ce doit être un curieux qui veut savoir comment j'ai battu le bus en revenant d'Addis », pensai-je.

Mais la personne insista. Sa voix était non seulement empreinte d'urgence, mais aussi familière. J'hésitai et finis par me tourner.

— Dépêche-toi ! On ne va pas y passer la journée ! s'impatienta Abba tout en me poussant brutalement.

Mais j'avais enfin reconnu la voix. Je me faufilai entre la porte et mon père et sautai de l'autobus.

— Ato Alemu ! m'écriai-je, stupéfait. Qu'est-ce que vous faites ici ?

— Je suis venu vous chercher avec ma voiture, répondit-il vivement. Pour vous conduire à Addis. J'ai peur que ton grand-père ne soit très malade. Il a besoin de vous à ses côtés.

CHAPITRE 16

Je sais que je n'aurais dû penser à rien d'autre qu'à Grand-Père, mais j'avoue que je l'oubliai un peu durant le trajet en compagnie d'Ato Alemu. Le fait que la voiture de ce dernier soit petite ne me dérangea pas le moins du monde. C'était la première fois que je montais dans ce genre de véhicule et j'en tirai gloriole. Je me sentis aussi important qu'un roi.

J'étais assis derrière et Abba avait pris place à l'avant. Au début, gêné et intimidé, il resta silencieux. Il n'avait pas encore tout à fait assimilé qui était Ato Alemu, ni pourquoi il s'était donné la peine de venir nous chercher jusqu'à Kidame. Les événements s'enchaînaient trop vite pour lui. Il avait peur de paraître stupide et ignorant.

Tout en conduisant, Ato Alemu le regarda plusieurs fois à la dérobée. Je pense qu'il compatissait.

— L'ami de Solomon est venu me voir, annonça-t-il bientôt.

Son introduction ne contribua pas à rassurer mon père. Je ne lui avais pas dit grand-chose sur Kebede de peur qu'il ne le trouve pas trop à son goût.

— L'ami de Solomon ? répéta Abba, l'air plus perplexe que jamais.

Je me penchai vers lui.

— Kebede, lui dis-je. C'est le garçon qui m'a accompagné jusqu'à la gare routière.

— *Ishi...* D'accord, répondit Abba.

Je compris qu'il avait feint de comprendre.

Quoi qu'il en soit, Ato Alemu entreprit de raconter à son tour l'histoire de la médaille et de l'amitié entre son père et Grand-Père.

Abba l'écouta poliment, mais je sentis qu'il perdait patience. Il finit par n'y plus tenir.

— Comment va-t-il ? s'exclama-t-il. Comment va mon père ? Solomon dit qu'il a eu une crise cardiaque ?

Ato Alemu hésita.

— Dès que j'ai appris la nouvelle hier après-midi, je lui ai rendu visite à l'hôpital, répondit-il enfin. Ils font tout ce qu'ils peuvent. Il ne reste plus qu'à prier Dieu.

Nous n'aurions jamais réussi sans Ato Alemu. Nous n'aurions probablement jamais franchi les grilles de l'hôpital. Et même si les portiers à l'air sévère nous avaient laissés passer, nous n'aurions jamais trouvé notre chemin dans les longs couloirs qui desservaient chambre après chambre.

À mes yeux, mon grand-père avait toujours eu l'air d'un géant. Non qu'il ait été très grand. Mais c'était notre chef de famille. La personne que nous respections plus que quiconque. Et craignions, je suppose.

Grand-Père avait des réponses à tout. Il conseillait Abba sur la meilleure période à laquelle rentrer la récolte. Il savait soigner Lotie quand elle boitait. Il avait insisté pour que j'aille à l'école, alors que le coût des frais d'inscription avait obligé mes parents à réduire le budget réservé à notre alimentation. Personne ne s'opposait jamais à Grand-Père, ni ne lui répondait.

Je venais d'en apprendre plus sur sa vie en vingt-quatre heures que depuis ma naissance et je regrette énormément de ne pas avoir eu l'occasion d'en découvrir davantage.

J'eus peine à le reconnaître. Il était allongé, immobile sous un drap tiré sous son menton.

Il avait l'air petit. Son visage avait pris la même teinte grise si particulière qu'il avait eue dans le magasin de l'oncle de Kebede.

Il dormait. Les yeux clos, la bouche à demi ouverte.

Abba resta interdit, comme abasourdi de voir son père ainsi.

— Ahi ! gémit-il en prenant sa tête dans ses mains.

Il y avait dans la salle plusieurs rangées de lits, tous occupés par des malades, ainsi que des chaises en plastique mises à disposition pour les visiteurs. Ato Alemu alla en chercher deux qui étaient libres et, avec beaucoup de prévenance, aida Abba à s'asseoir sur l'une d'elles. Il n'avait pas pris l'autre pour lui, mais pour moi et, d'un doigt pointé, il m'invita à prendre place. Je m'exécutai timidement.

J'étais troublé par l'état de mon grand-père mais aussi par le sentiment d'impuissance qui semblait avoir terrassé Abba. Je ne l'avais jamais vu aussi mal. Il se balançait d'avant en arrière, aspirait l'air entre ses dents serrées, murmurait des prières et poussait des soupirs entrecoupés de larmes.

Grand-Père était totalement immobile et je finis par me demander si la vie ne l'avait pas déjà quitté. Mais soudain, il ouvrit les yeux, toussa faiblement, tourna la tête et découvrit notre présence. Il sortit une main de sous le drap, qu'il pinça entre ses doigts. Il avait l'air agité.

Ato Alemu eut le bon réflexe. Il lui souleva la tête en pliant en deux son oreiller, puis il attrapa sur l'étagère murale derrière son lit un verre d'eau qu'il approcha de sa bouche.

Grand-Père essaya de boire. Ses lèvres tremblèrent sous l'effort et un petit filet d'eau coula sur son menton, mais il avait dû avaler quelques gouttes car je vis sa pomme d'Adam bouger. Le liquide parut lui procurer un peu de bien-être.

— Tu es là, murmura-t-il d'une voix à peine audible.

— Oui, Père, répondit Abba. Je suis là. Solomon est venu me chercher. Il a fait tout le trajet depuis Addis en courant.

Grand-Père dirigea son regard vers moi.

— J'ai pris le bus comme tu m'avais conseillé de le faire, me hâtai-je de préciser de peur qu'il ne soit contrarié. Mais il est tombé en panne peu après la sortie de la ville.

Une étincelle apparut dans ses yeux. Je crus y voir de la fierté.

— Bravo, souffla-t-il en effet. Tu es un bon garçon. Un bon garçon.

S'il n'avait pas répété l'expression, je n'en aurais pas cru mes oreilles. Il ne m'avait jamais félicité auparavant, pas une seule fois en mes onze ans d'existence.

— La mé... la mé... reprit-il.

— Comment ? demanda Abba en tendant l'oreille.

— Je pense qu'il veut parler de la médaille, répondis-je à sa place tout en plaçant ma tête contre celle de mon grand-père. Elle est en sécurité, lui chuchotai-je. À la maison.

Sa bouche se tordit un peu. À mon avis, il avait voulu sourire.

— Elle est à toi, mon garçon, souffla-t-il. Pour toi. Garde-la.

Il sembla sombrer de nouveau dans le sommeil. Ato Alemu se pencha au-dessus de lui.

— Solomon est un vrai coureur, la Flèche. Hier, il a presque effectué un marathon. Tout le monde est médusé. Un garçon de onze ans !

Les paupières de Grand-Père se soulevèrent une nouvelle fois.

— Coureur. Bien. Cours. Rythme régulier. Le regard sur la ligne d'arrivée. Continue. Au même rythme...

Il s'arrêta de parler.

Une infirmière arriva. Elle lui prit le poignet, le tint un moment, puis sans nous regarder, elle repartit.

Nous restâmes longtemps assis au chevet de Grand-Père. Ato Alemu alla nous chercher à manger, mais refusa qu'on partage la nourriture avec lui. Afin de nous laisser seuls, il conversa un long moment avec d'autres visiteurs. Toujours assis sur sa chaise, Abba n'avait pas bougé. Il ne quitta pas son père des yeux une seule seconde.

Pour être honnête, je me sentais perdu. L'hôpital était un lieu étrange, où tout le monde avait l'air si occupé. Il y avait un incessant cliquetis de chariots, les infirmières se hélaient constamment. J'avais peur et j'étais désorienté.

Ato Alemu finit par nous rejoindre et s'adressa à Abba à voix basse. Je n'entendis pas ce qu'ils se disaient.

Une autre infirmière apparut pour prendre le pouls de Grand-Père, comme la première l'avait fait.

— Est-ce qu'il va guérir ? demandai-je soudain, plus fort que je ne l'avais souhaité.

— Prie Dieu.

Ce furent ses seuls mots.

Lorsque le moment fut venu, nous remarquâmes tous la différence. Les yeux de Grand-Père s'ouvrirent brusquement et il se mit à respirer bruyamment. Je pensais qu'il s'était réveillé et s'apprêtait à nous parler. J'avais tort. Sa respiration saccadée s'arrêta soudain.

Abba se leva d'un bond, le regard baissé vers lui, le visage déformé par une expression d'épouvante.

— Qu'est-ce qu'il y a ? Il est mort ? balbutiai-je sottement.

— Dieu l'a rappelé à lui, me répondit Ato Alemu. La Flèche est repartie vers Dieu.

Il tendit la main et ferma délicatement les paupières de mon grand-père sur ses yeux fixes et sans vie.

CHAPITRE 17

Dans les lentes heures qui suivirent le décès de Grand-Père, j'éprouvai un étrange mélange de sentiments. Une sorte de vide m'envahit, ainsi que de terribles regrets à l'idée que je n'avais jamais appris à lui parler tant qu'il était encore en vie. Bizarrement, je ressentis aussi de l'enthousiasme. Tout changeait autour de moi et on réclamait ma présence d'une toute nouvelle façon.

Abba semblait terrassé. Il était effrayant de le voir si éperdu. Ato Alemu me demanda de l'accompagner jusqu'à la sortie de l'hôpital, et de l'attendre là. Lui resta pour s'occuper des formalités.

Nous venions juste de descendre les marches à l'extérieur du bâtiment et nous tenions là, désorientés, lorsque Cousin Wondu arriva. Dès qu'il m'aperçut, il se dirigea vers moi avant de s'arrêter, hésitant, en remarquant la présence d'Abba. Je ne savais plus que penser de lui. Il avait essayé de nous voler, mais il s'était visiblement repenti de sa faute. Après tout, il avait conduit Grand-Père à l'hôpital et promis de régler la facture pour son séjour. En outre, je le sentais tenaillé par la culpabilité et l'anxiété.

Il finit de nous rejoindre et son expression laissa supposer qu'il s'armait de courage.

— Voilà Cousin Wondu, dis-je à Abba.

Toujours en état de choc, celui-ci ne m'entendit même pas.

— Je le vois à votre visage, dit Cousin Wondu une fois près de nous. Il s'est passé quelque chose ?

— Grand-Père est décédé, soufflai-je.

Il ne semblait pas convenable de le clamer à voix haute.

Cousin Wondu se frappa la tempe avec la paume de la main.

— J'ai fait ce que j'ai pu ! s'exclama-t-il. J'ai essayé de le convaincre de rester à la maison et, après son attaque, je l'ai accompagné à l'hôpital. Ils m'ont promis qu'ils feraient tout pour lui. Quel malheur. Quel malheur !

Abba revint un peu à lui et ses yeux se rivèrent sur Cousin Wondu. Puis il prit la parole, mais je ne l'écoutai pas. Un garçon, debout derrière la clôture de l'hôpital, venait d'attirer mon attention. Il avait passé les bras à travers la grille et me saluait. C'était Kebede. Je m'élançai vers lui.

— Les gardiens refusent de me laisser entrer, m'apprit-il. Ils sont vraiment méchants ici. Que se passe-t-il ? Ce matin, je suis allé à la gare routière pour t'accueillir à la descente de votre bus en provenance de Kidame, mais tu n'y étais pas. J'ai entendu le récit de ton marathon. Tout le monde parle du garçon qui a battu le bus. J'ai couru jusqu'au bureau d'Ato Alemu et là, ils m'ont informé qu'il était parti vous chercher à Kidame. Je me suis douté que vous viendriez ici voir ton grand-père.

Je secouai la tête.

— Il vient de mourir, dis-je. À l'instant.

Annoncer cette nouvelle pour la seconde fois ne me fut pas plus aisé que la première.

— Ahi... Il est parti comme ça ? s'exclama Kebede. Pourtant, il y a deux jours, il a fait le trajet à pied jusqu'ici. Je n'arrive pas à y croire !

— Moi non plus, répondis-je.

Aussitôt dit, je me rendis à l'évidence que je me mentais. Je croyais, je savais, que Grand-Père n'était plus. J'avais vu son esprit quitter son corps. J'avais vu Ato Alemu fermer ses yeux sans vie.

— Qu'est-ce que tu vas faire maintenant ? me demanda Kebede.

— Aucune idée.

Un cri retentit près du portail. Un des gardes avait vu Kebede.

— Hé, toi, le gamin ! Qu'est-ce que tu veux ? Va-t'en !

Kebede s'éloigna un peu de la grille.

— Je te l'avais dit, ils sont vraiment méchants ici. Écoute, si je peux t'aider, je le ferai, Solomon.

— Merci, je te fais confiance.

— Ne repars pas chez toi sans me dire au revoir.

— D'accord.

Ce fut l'instant où nous devînmes de véritables amis, ce que nous sommes encore aujourd'hui, et resterons à jamais. Maintenant, Kebede gère le magasin de son oncle. Je lui rends visite chaque fois que je vais à Addis Abeba. Marcos et Kebede. Mes deux vrais amis pour la vie.

Je n'aime pas à me remémorer les quelques jours qui suivirent.

Nous enterrâmes Grand-Père l'après-midi même dans le cimetière en lisière de la ville. S'il était mort à la maison, des dizaines de personnes auraient suivi son cercueil, mais à Addis Abeba, personne ne le connaissait. Les seuls à participer à la procession furent Ato Alemu, Cousin Wondu, Abba et moi.

Alors que nous redescendions de cette colline où mon grand-père reposait désormais pour l'éternité, je sentis que sa mort avait bouleversé mon existence. J'étais certain que ma vie d'antan était à jamais révolue. On aurait presque dit qu'il l'avait prévu.

C'était impossible, bien sûr. Il ne pouvait savoir qu'il tomberait malade. Il ne pouvait savoir que l'autobus tomberait en panne et que je déciderais de rentrer chez nous en courant. À mon avis, il ne savait pas non plus que le magasin d'équipement sportif d'Ato Alemu soutenait de jeunes espoirs de la course à pied en leur offrant une bourse pour une école d'athlétisme, et qu'il déciderait de me parrainer. Il ne pouvait pas non plus savoir que je sortirais diplômé de cet établissement, où j'étais devenu un véritable athlète.

Et comment aurait-il su que la médaille de son père serait pour toujours ma source d'inspiration, mon porte-bonheur, mon talisman ?

À moins qu'il ne l'ait su et qu'il n'ait anticipé tout ce qui m'arriverait. Peut-être non seulement le savait-il, mais aussi l'avait-il organisé. Sous sa dureté apparente, c'était après tout l'homme le plus sage que j'aie jamais rencontré.

— Ton grand-père a compris dès le début que tu étais un génie de la course à pied, m'a récemment avoué Abba.

Nous étions chez moi, assis à la table de ma salle à manger. Abba était venu me rendre visite depuis Kidame et m'avait apporté quelques délicieux plats préparés par ma mère. Il adore passer du temps dans ma maison, visiter la ville, m'écouter lui raconter toutes les courses auxquelles j'ai participé et lui parler des personnes que j'ai croisées. Parfois, il vient me voir à l'entraînement. Il est même devenu ami avec Cousin Wondu, qui se révéla bien plus sympathique après que Meseret l'eut quitté pour son patron, non sans lui abandonner leur fille, devenue une timide adolescente qu'il élève toujours lui-même.

— Oui, ton grand-père avait compris que tu étais un vrai coureur à pied, répéta Abba. Il se plantait tous les matins devant notre porte pour te regarder partir à l'école. Il plissait les yeux afin d'étudier ta silhouette jusqu'à ce que tu atteignes le bas de la colline et que tu aies remonté la moitié de la pente de l'autre côté. Parfois, il te donnait même des menus travaux à effectuer dans le but de te retarder, de sorte que tu sois obligé de courir plus vite pour ne pas arriver en retard.

— Vraiment ? m'esclaffai-je. Il me rendait fou. Pourquoi ne m'a-t-il jamais dit que j'avais ce qu'il fallait pour devenir un athlète ? Pourquoi ne pouvait-il pas admettre que, d'une certaine façon, il m'entraînait ?

— Ce n'était pas dans sa personnalité. Et puis, il était conscient que je l'aurais désapprouvé. Après tout, j'avais toujours pensé que tu resterais à la maison pour m'aider aux travaux de la ferme.

Je ne répondis pas tout de suite.

— Abba, est-ce que tu regrettes toujours mon départ ? finis-je par lui demander.

Il se renfrogna et, l'espace d'un moment, j'eus l'impression de voir Grand-Père.

— Ne sois pas bête, me répondit-il. Comment pourrais-je avoir des regrets ?

D'un coup sec du menton, il indiqua le tiroir qui se trouvait dans le placard derrière la table. Il n'eut pas besoin de parler. Je savais ce qu'il voulait. Nous en passions par le même rituel chaque fois.

Je me levai et ouvris le tiroir où je pris mes médailles, que j'alignai sur la table. Il n'y en avait pas encore beaucoup, mais mon trésor s'enrichit lentement.

— Et la vieille, ajouta Abba.

Je sortis la petite boîte de ma poche intérieure, où je la garde toujours. Je fis glisser le couvercle et soulevai le coton qui la protégeait. La pièce de métal brun paraîtrait sans nul doute petite et sans valeur aux yeux d'un inconnu. Sauf qu'elle représente pour moi ce que j'ai de plus cher au monde.

Abba l'effleura du doigt avec déférence. C'est un geste que je n'ai pas besoin de faire. Je connais le modelé de cette surface de métal dans les moindres détails. Je le reconnaîtrais par la plus noire des nuits si on me la mettait dans la main.

« J'essaie de lui faire honneur, la Flèche, me dis-je. Après tout, je suis ton petit-fils. »

L'avion a enfin atterri. Les roues ont touché le tarmac quelques minutes plus tôt. Nous nous sommes immobilisés près du terminal et le personnel au sol approche la passerelle. L'équipage se tient à côté de la porte, prêt à l'ouvrir dès qu'ils en auront reçu l'autorisation.

Nous sommes tous surexcités. Et pour ma part, je suis inquiet. Une énorme foule nous attend à l'extérieur. J'ai remarqué les visages pressés contre les baies vitrées du terminal quand notre avion est passé devant.

C'est la première fois que je rentre à la maison en tant que membre de l'équipe olympique d'Éthiopie. Nous portons tous la tenue nationale vert, rouge et jaune, aux couleurs de notre pays, et les plus chanceux d'entre nous avons une médaille qui pend sur notre torse au bout d'un joli ruban.

Je suis assis à côté de Derartu Tulu. Elle sait ce que je ressens. Elle a déjà été accueillie de nombreuses fois par des foules en liesse. C'est l'une des plus grandes championnes de course à pied du monde. Deux médailles d'or cliquettent à son cou. Quant à moi, j'en ai une, de bronze. Cela me suffit. Pour l'instant.

Ce que Derartu ne sait pas (et personne d'autre d'ailleurs), c'est que j'ai une autre médaille, une médaille secrète, cousue dans une poche intérieure de mon survêtement. C'est mon bien le plus précieux et c'est à elle que je dois ma chance.

La porte de l'avion s'ouvre en grand. Mon cœur bat la chamade. Par le hublot, j'aperçois le comité d'accueil, les équipes de télévision, et toutes les sommités qui ont reçu l'autorisation de nous rejoindre sur le tarmac. Ils sont agglutinés au pied de l'escalier, où ils nous acclameront dès que nous apparaîtrons.

Soudain une voiture de luxe apparaît et une nuée de policiers s'empresse de former un cordon de protection.

— C'est le Président, m'informe Derartu en se penchant devant moi pour regarder par le hublot.

Ma gorge se serre et elle me tapote la main.

— Ne t'inquiète pas, Solomon, tout se passera bien.

Les plus célèbres de nos athlètes, les coqueluches de la nation, descendent en premier, mais il leur faut si longtemps avant de saluer le Président et de libérer les marches que je me trouve coincé derrière eux à mi-chemin.

J'observe la foule du haut de l'escalier. La sécurité est stricte à l'aéroport d'Addis Abeba. Comme je le disais, sans permis, personne n'a le droit de quitter le terminal. Pourtant, un jeune garçon semble être passé par les mailles du filet. Pieds nus et vêtu d'un vieux short en lambeaux, il se cache derrière un camion de restauration. Il me fixe et je comprends (bien qu'il soit trop loin pour que j'en sois certain) que ses yeux sont pleins d'envie et de détermination.

Je préférerais mille fois lui parler que de m'adresser aux officiels au bas de l'escalier. Je lève la main pour le saluer. Timidement, il me répond, mais mon geste a attiré l'attention d'un garde qui s'élance vers lui. Je retiens mon souffle. Je ne veux pas qu'on l'attrape !

Le garçon court comme un lièvre sur ses pieds nus et disparaît derrière une aire de chargement. Le garde n'a aucune chance de le rattraper.

À mon avis, ce garçon deviendra athlète. C'est un coureur-né. J'étais comme lui. Il est comme moi.

ELIZABETH LAIRD

L'auteure est née à Wellington en Nouvelle-Zélande. En 1945, sa famille s'installe au sud de Londres. À l'âge de 18 ans, elle part enseigner en Malaisie, puis en Éthiopie et en Inde. Elle vit aujourd'hui avec David McDowall, son mari, lui aussi écrivain. Elle est l'auteur de nombreux ouvrages pour la jeunesse.

Tu as aimé,
tu vas adorer...

À la poursuite du Grand Chien Noir

RODDY DOYLE

Le Grand Chien Noir avait envahi Dublin, pour distiller son poison. Un jour, il se faufila dans la maison de Gloria et Simon, comme dans des centaines, des milliers d'autres maisons. Seuls les enfants de la ville pouvaient faire quelque chose... Alors ils le poursuivirent...

« Un roman plein d'humour et d'action. »
Le Monde des ados

Plus froid que le pôle Nord

RODDY DOYLE

« On ne voyait rien. Mais il fallait avancer. Des branches de sapin nous fouettaient le visage. Le froid n'avait plus d'importance. Nous allions retrouver notre mère. Ce n'était plus un jeu. »

Ce soir-là, un traîneau manque à l'appel. Johnny et Tom se lancent sans hésiter à la recherche de leur mère dans un épais brouillard. Mais combien de temps peut-on survivre dans un univers de glace ?

« Un roman pour voyager, haletant et initiatique. » *Elle*

La Fée de Verdun

PHILIPPE NESSMANN

« Plus elle chantait, plus les soldats se tournaient vers la scène et se mettaient à écouter. La magie de la musique opérait : les poilus ne pensaient plus à la guerre. Ils étaient simplement heureux d'être là, de profiter de ce moment de paix. »

Un jour, j'ai entendu parler de Nelly Martyl, une cantatrice de la Belle-Époque, aujourd'hui oubliée. Je suis alors parti à sa recherche, au cœur de la guerre. Mon enquête m'a conduit jusque dans les tranchées glacées de Verdun où j'ai pu admirer la force de son courage.

« Une biographie romancée captivante, menée comme une enquête. » *Historia*

L'Apache aux yeux bleus

CHRISTEL MOUCHARD

« Il était fier. Fier d'avoir été reconnu digne d'être un enfant de chef. Fier d'avoir été accepté par le clan. »

Herman a 11 ans quand il est enlevé par des Apaches. D'abord traité en esclave, il se montre fort et courageux et gagne le respect de ses nouveaux frères. Dans l'immensité des plaines du Texas, très vite, il devient l'un d'eux, un Apache valeureux qui n'a peur de rien et qui protège sa tribu. Son nom est désormais En Da, le « garçon blanc ».

« Une étonnante histoire vraie ! »
lecturejeunesse.org

Composition et mise en pages
Nord Compo à Villeneuve-d'Ascq

Dépôt légal : mai 2016
N° d'édition : L.01EJEN001247.N001
Loi n° 49-956 du 16 juillet 1949
sur les publications destinées à la jeunesse
Achevé d'imprimer en avril 2016 en Espagne par Liberdúplex